D0674052

"De twee kanten van Janus zijn heel origineel"

"Een meeslepend en intrigerend verhaal"

JANUSKOP

"Ook de spreekwoorden en uitdrukkingen die docent Rob door elkaar husselt ... grappig en sterk"

"Er mag de afgelopen tijd behoorlijk veel over opgroeiende pubers en hun problemen geschreven zijn, maar de manier waarop het in Januskop is aangepakt, is erg sterk"

Johan Zonnenberg

JANUSKOP

ZILVER
BRON

Wie dit boek geschreven heeft? Dat is JOHAN ZONNENBERG, die bekend staat om zijn originele en onconventionele verhalen. Hij is dan ook al vaak in de prijzen gevallen en publiceerde eerder de aangrijpende en spannende roman **Stella A-Z** bij Zilverbron. Voor meer informatie over hem en andere (jeugd)boeken kun je terecht op boekenshowcase.nl en op zilverbron.com/auteurs/johan-zonnenberg.html.

© 2014 Johan Zonnenberg
© 2014 Zilverspoor/Zilverbron
Alle rechten voorbehouden

Omslagontwerp: Studio Zilverspoor
Illustratie omslag: Vectomart/shutterstock.com
Grid omslag: Lukas Majercik/shutterstock.com
Janus lettertype: Banana Republic images/shutterstock.com

Typografie: Studio Zilverspoor
Redactie: Jos Weijmer

ISBN 978 94 9076 783 9
NUR 284, 285

www.zilverbron.com
info@zilverbron.com
Facebook: zilverbron
Twitter: @Zilverbron

Droom maar lekker verder, Romeo!

Er gebeuren dingen en meer dingen en dan nóg meer dingen met me die ik helemaal niet wil. Achteraf gezien had ik het allemaal kunnen zien aankomen. Maar toch, ik begrijp er nog steeds helemaal niks van. Daarom droom ik er maar een eind van weg. Dat is veiliger.

Ik zal me even netjes voorstellen, zoals m'n ouders me dat vroeger geleerd hebben: handje geven en je naam noemen. Hallo, ik heet Janus. Vraag me niet wat ik van die naam vind, want dan zeg ik dingen die ik van m'n ouders echt niet geleerd heb.

Die naam heb ik van m'n vader. 'k Bedoel niet dat hij ook zo heet, maar hij heeft die naam voor me verzonnen.

Ik had de pech dat m'n vader aan de universiteit "Griekse en Romeinse Oudheid" gaf. 'Doceerde,' zei hij zelf altijd. Een vader die afgestudeerd is in klassieke goden, is steeds in de wolken. In ieder geval zat hij daar met z'n hoofd, de hele dag door.

De dubbele pech was, dat ik in januari geboren

ben. Toen haalde m'n vader even z'n hoofd uit de wolken, keek naar mij alsof hij blij met me was en zei: 'We noemen hem Janus. Want Janus brengt vrede.'

Niet dat m'n ouders toen ruzie hadden of zo. Dat kwam later, toen ik er al even was.

M'n moeder vond het geen naam voor een kind. Zij wilde me Jacco noemen. Het werd dus Janus.

Intussen ben ik dertien, maar wennen doet het niet. Die naam niet, dat m'n vader is weggegaan niet en het gevoel dat hij wegging om mij niet. Van die dingen dus. Dan droom ik even ver hiervandaan.

In't begin had mijn pa de handen vol aan me. Ik was echt een huilbaby. Janken, man, van 's avonds vroeg tot 's ochtends laat, en 's middags ook weer. Met van die lange uithalen. Alsof ik een hekel aan bed had.

'Volgens mij was je bang dat je dood ging als je je ogen dichtdeed. Dat je dan niet meer wakker zou worden,' zegt m'n moeder. 'En je vader kon daar beslist niet tegen. Die stond een keer boven je wieg te brullen dat hij je wat zou doen als je niet onmiddellijk ophield. Daarna zorgde ik dat ik altijd als eerste bij je bedje stond als je huilde.'

M'n moeder vertelt er graag over. Niet omdat het zo leuk was, maar omdat ze het daardoor over m'n vader kan hebben. Ze mist hem hartstikke, zeker weten. Daarom kookt ze, volgens mij, ook vaak dingen die hij niet lekker vond en ik ook niet lust.

Als ik dan, zal ik maar zeggen, van die slechtgare spruiten naar de rand van m'n bord schuif, kijkt ze me zo halfblij en halfverdrietig aan alsof ze hem weer voor zich ziet zitten.

'Dat wou die vader van je ook niet,' zegt ze met een brok in haar keel.

Ze rent met tranen in haar ogen naar de keuken en snuit daar haar neus luid in een stuk van de keukenrol, want haar zakdoekjes kan ze nooit vinden.

Intussen zit ik in m'n eentje een beetje op m'n bord te knikkeren met keiharde spruiten. Is m'n vader toch weer even terug.

Toen ik na een jaartje uitgehuild was, ging het beter. Dan zat ik bij m'n vader op schoot lekker tegen hem aan en vertelde hij sterke verhalen over zijn goden. Niet dat ik er veel van begreep, maar hij had zo'n diepe stem. Die kwam zo ongeveer bij z'n navel vandaan.

Als hij zachtjes langs m'n oor zat te praten, voelde ik door die bromstem z'n borst tegen m'n rug trillen. Daardoor viel ik als vanzelf in slaap. Maar dat kon m'n vader niet hebben. Ik moest wel blijven luisteren, net als die studenten van hem. Dan werd hij kwaad, pakte me op en gaf me aan m'n moeder met de boodschap: 'Onze Janusslaapkop moet weer nodig naar bed. Doe jij dat maar.'

Aan tafel zat hij altijd vol grapjes over zijn, zoals hij dat noemde, "stuudjes" en over z'n "kleegaas".

Bij het laatste trok hij altijd een vies gezicht. En dan moest hij zelf hard lachen. Waarom, dat begreep ik echt niet. Als hij dat zag, riep m'n vader zoiets van: 'Kom op Janus, kijk eens wat vrolijker. Allemachtig wat een treurhoofd heb je ook. Was het weer eens niet leuk op school?'

Maar hij wachtte nooit op antwoord en ging meteen door met z'n eigen verhaal.

We gingen meestal naar Italië of Griekenland op vakantie. M'n vader trok er elke dag vroeg op uit.

Af en toe zei ik: 'Ik wil mee.'

Dan keek hij geschrokken, zei: 'Nee, dat gaat niet' en ging er als een haas vandoor.

M'n moeder en ik gingen vaak naar het strand of naar het zwembad. Soms vroeg ik:'Waar is pappa?'

Het antwoord was altijd kort en hetzelfde: 'Goden graven.' En dat was het. Meer niet.

Daarom vond ik het strand leuker dan het zwembad; kon ik op m'n eigen manier naar goden graven. Vond ik best spannend, want je wist maar nooit of er opeens een god - of een leuk klein godje - onderin je kuil tevoorschijn kwam. En dat kon ik dan 's avonds trots aan m'n vader laten zien. Hoefde hij niet zo ver weg te gaan om alleen te graven, dacht ik.

Op m'n achtste hield m'n vader het voor gezien met ons. Hij vertrok van de ene dag op de andere. 's Nachts dus, terwijl ik lag te slapen.

'Met stille trom,' zegt m'n moeder en dan iets dat

volgens mij niet met stille trom kan: 'Het kwam als een donderslag bij heldere hemel.'

Of, vertelt ze aan anderen: 'Hij is met de noorderzon vertrokken.'

Vraag me af of je met de noorderzon naar het zuiden kan, want ik denk dat hij daar weer goden is gaan graven. Vast geen babygodjes. Grote goden.

Vanaf die tijd gebruiken we, nou ja, m'n moeder dus, veel meer keukenrollen en krijg ik vaak te eten wat m'n vader niet lustte.

Af en toe droom ik van de noorderzon. Hoe zal het daar zijn? 't Gekke is, ik weet niet precies waar het is, maar als ik er ben is het daar nooit koud. 't Voelt gewoon goed.

Hallo, weer even voorstellen. Handje schudden hoeft deze keer niet. Ik ben nu Jacco. Vanaf groep 5 en dat m'n vader als een donderslag bij heldere hemel verdween, heet ik zo. Thuis en op school. Da's dus mooi geregeld. "Janus" is met stille trom afgevoerd.

Intussen weet eigenlijk niemand meer hoe ik echt heet. Alleen m'n meester van groep 8 vroeg het pas nog. Dat kwam zo.

Toen we moesten invullen naar welke school we wilden na groep 8, heb ik een tijdje zitten aarzelen maar toen toch 'gymnasium' ingevuld. Iedereen plat van verbazing. Thuis was dat weer een extra stuk keukenrol, want m'n vader heeft ook 't gym gedaan. M'n moeder helemaal ontroerd en ontregeld.

'Jacco, daar gaan we voor! Wat zou je vader trots zijn als hij dat wist. Je hebt de hersens van hem.'

Dat laatste sloeg echt helemaal nergens op, vind ik.

Hoe dan ook, wat ik wou vertellen is dat m'n mees mij en m'n moeder daarna vraagt 'te komen praten over Jacco's schoolkeuze.'

'Mijns inziens is Jacco beter op z'n plaats in de havo-brugklas. Als dat goed gaat, kan hij altijd doorstromen naar het vwo en dan de uitdaging van het gymnasium alsnog aangaan,' zegt de meester tegen ons.

M'n moeder kijkt hem vastbesloten aan en zegt: 'Als Jacco graag naar't gym wil (ja, dat wil ik echt) en in de voetsporen van zijn vader wil treden (nou, dat dus echt niet), dan vind ik dat we hem die kans moeten geven (en daar ben ik het weer helemaal mee eens).'

'Waarom wil je eigenlijk naar het gymnasium, Jacco?' vraagt m'n meester.

'Nou, gewoon, 't lijkt me leuk.'

Jahee, 'k ga hem toch niet vertellen dat ik die godenverhalen hartstikke mooi vind. Die goden hebben nooit van z'n leven echt bestaan. Dat weet ik ook wel. Maar ik zit veel liever hoog op de Olympus hun oorlog mee te voeren dan hier beneden de wargames van anderen. Die verhalen! Machtig mooi, man. Alleen, daar heeft m'n meester niks mee te maken.

Mees ziet dat hij niet zomaar nee kan zeggen.

'We zullen de Citotoets afwachten en dan bekijken wat ons definitieve advies wordt.'

M'n moeder kijkt alsof ze de oorlog gewonnen heeft. Zo zie je, Janus brengt vrede.

En ja hoor! M'n Citotoets is uitstekend. De hoogste

score van de hele school, nou ja, groep 8 eigenlijk, want de rest deed niet mee. Zelfs Floris, de bolleboos van de school, van wie iedereen dacht 'die gaat winnen', scoort lager. En die heeft z'n hersens al jaren getraind met schaken en de laatste maanden nog eens extra door met z'n moeder te gaan bridgen. Stel je voor, bridgen en dan ook nog eens met je moeder!

Mijn moeder zou zeggen: 'die heeft vast de hersens van zijn moeder.' Bij haar moet altijd alles van anderen komen, nooit van jezelf. Was dat maar waar. Kon ik tenminste flink naar anderen wijzen.

Terwijl de meester de uitslag aan de klas voorleest, kijkt Floris zo vals naar me. 'k Denk: 'Straks gaat-ie nog bijten of janken'. Gelukkig geen van tweeën.

Vlak voor de bel vraagt m'n mees of ik straks het bord nog even wil schoonmaken. Meestal is dat voor straf, maar dat kan het niet zijn. Terwijl ik sta te vegen, zegt hij: 'Jacco, zeg maar tegen je moeder dat je van mij met zo'n score naar het gym mag. Gefeliciteerd.'

En dan vraagt hij nog: 'Wil je dan misschien weer Janus heten, want zo'n godennaam past daar wel.'

Mees kijkt erbij alsof hij een grap maakt, maar die is dan zwaar mislukt. Ik blijf hard doorvegen, maar zeg met m'n hoofd naar het bord: 'Zeker weten van niet!'

Maar ik ga mooi wel naar het gym. Zeker weten van wel!

Nou, wat zal ik zeggen. Op't gym ging het meteen mis, en niet zo'n beetje ook. Daardoor ben ik nou weer Janus of nog erger: Januskop. En het begon hartstikke goed. Echt waar!

In de introductieles had m'n mentor vier woorden op het bord gezet: Aphrodite, Zeus, Olympus, reflecteren.

Iedereen zit met grote vraagogen, hij zit te lachen. En wat doet m'n mentor? Hij vraagt of wij weten hoe je de eerste twee namen moet uitspreken. Iedereen proberen, maar steeds fout.

Ik wist het van m'n vader, dus na een tijdje steek ik toch m'n hand op en zeg het meteen goed. Afrodíetè en dzuis.

M'n mentor is helemaal blij met me en zegt: 'heel goed, ehm ...'

'Jacco', vul ik in.

Hij kijkt alle tweeëndertig namen langs - ja, 't is vollebak op't gym - en zegt: 'Jacco. Wat leuk, ik lees hier dat je eigenlijk Janus heet.'

Eenendertig leerlingen beginnen te lachen.

Wat een bofferd ben ik! Geeft m'n mentor Latijn en mythologie, dus weet hij alles over klassieke goden. Begint meteen een heel verhaal over Janus, die twee gezichten heeft en dat je dat zo mooi op oude munten kunt zien: een Januskop die twee kanten opkijkt. Nog harder lachen door alle leerlingen, op een na.

Floris, die achter me zit - ja dat is dubbelboffen - en nu Floris-Jan wordt genoemd door die bridge-moeder van hem, begint me tegen m'n schenen te schoppen. Intussen is m'n hoofd flink rood geworden.

Roept Floris(-Jan) valshard door de klas: 'Wat een rooie kop krijg je, Janus, echt een Januskop!'

Ik word zo kwaad op dat rotjoch. Ik draai me woedend om, probeer hem een kledder in z'n gezicht te geven en zeg: 'Kap ermee, Kloris!'

Mentor kijkt me kwaad aan. Vertelt de hele klas: 'Dit geeft geen pas en zeker niet voor een Janus, want die brengt vrede.'

Is m'n vader weg, word ik er nog mee lastig gevallen, van voren en van achteren!

Tja, en zo zeurt m'n mentor nog een tijdje door dat we ons niet moeten gedragen als die Griekse goden op de top van de Olympus. Want die vochten de hele boel bij elkaar. Nee, we zitten op het gym om "te leren reflecteren", net als Socrates en al die andere beroemde filosofen.

De klas hangt stralend aan z'n lippen en ik zit in elkaar gedoken in m'n bank.Met achter mij Kloris die geniepig almaar 'Januskop, Januskop' zit te fluisteren.

Ik droom stilletjes dat ik hem zo'n beuk op z'n bakkes geef, dat hij twee breedbek-bruggen nodig heeft, onder en boven. Dat is lekker bridgen!

't Gym is helemaal niet boeiend! Man, dat had ik echt niet gedacht. Godenverhalen leuk en spannend? Reken maar van niet! In elk geval niet zoals m'n mentor erover vertelt. Als hij er al tijd voor wil maken, want hij gebruikt dat uur stiekem ook voor Latijn. Onze klas 'ligt achter op het programma'.

Eigenlijk is m'n mentor alleen maar leuk als hij "Uterechs praot". Hij komt uit "Utrech", zegt hij zelf. Pas draaide een jongen zich om en toen zei hij: 'Draoi niet zo met je kont, maan. Doet dat maor aas je aachttien ben. Gaot aon de slaag, raore zaak petaat, aanders krijg-ie klaappies van de baos op je aachterkaant.'

Toen moest ik zo verschrikkelijk hard lachen.

Zegt m'n mentor: 'Effe dimme, Jaonus.'

Dat was dus niet leuk meer. Maar toen moesten de anderen pas lachen, zeker toen Kloris er nog eens een "Jaonuskop" overheen gooide.

En wat doet m'n mentor? Die lacht hard mee!

Hij praat alleen maar Utrechts als er iemand een beetje zit te klooien. Maar dat gebeurt bij hem bijna nooit. Die man is streng! Dat hou je niet voor mogelijk.

In de andere lessen haalt iedereen dat dan weer in. Dan is onze gymklas net een ballenbak, maar zonder ballen. Dus stuiteren ze allemaal zelf maar door elkaar. Boeken, pennen, boeren, scheten, scheldwoorden, alles vliegt door het lokaal. Je houdt het niet voor mogelijk.

En die docenten - met alle respect, maar het zijn bijna allemaal vrouwen - weten echt niet wat ze ermee aan moeten. Zitten aan hun tafel een lesuur lang naar ons te kijken, zoals mijn moeder mij wel eens aankijkt. Als ze het erover heeft hoe het was toen ik er nog niet was en m'n vader nog wel.

Pas geleden is onze Franse lerares weggelopen. Ze had al wekenlang elke les op ons zitten schelden, in het Frans, want alles moet "En Français!" Zoals elke les zit Floris me weer eens akelig dwars. Na een tijdje heb ik het zo gehad met dat joch. Ik draai me om, gooi z'n etui tegen hem aan en zeg: 'Hou nou eindelijk eens op, Kloris!'

Roept zij van voor de klas vandaan naar me: 'En Français, Zjanúús!'

Ik word zó kwaad, dat ik naar haar uitval en haar uitmaak voor wat ze steeds naar ons roept.

Ze trekt wit weg, staat op en mompelt: 'C'est affreux!'

Zegt Kloris hard vanachter mijn rug: 'Vous êtes affreux!'

Ze kijkt me aan alsof ík het gezegd heb, pakt haar tas terwijl ze nog zachtjes zegt 'c'est affreu*se*!' en loopt voor de klas uit de gang op. Nooit meer teruggekomen.

Daarna moet ik bij m'n mentor komen omdat hij gehoord heeft dat ik "de klas aangezet heb tot brutaal gedrag."

En als ik hem vertel hoe het gegaan is, moet ik "het niet op medeleerlingen afschuiven, en zeker niet op Floris-Jan, want dat is een van onze beste leerlingen."

Waarom krijg ik op m'n donder, zelfs als ik het niet gedaan heb, en komen die anderen er mee weg? Dat vraag ik me dikwijls af. Ik word er helemaal moedeloos van.

Je begrijpt hoe Nico, de vervanger, door onze klas behandeld wordt nadat de onderdirecteur hem heeft voorgesteld met de opmerking dat hij hoopt op een goede samenwerking tussen Nico en de klas. Verbeeld ik het me of kijkt hij mij daarbij waarschuwend aan?

In de pauzes loopt m'n hoofd om en ik loop mee. 'k Heb dan helemaal geen zin om bij de stuudjes van het gym te gaan staan. Me zeker door Kloris ook in de pauze laten afzeiken terwijl de rest stom staat te lachen. Mooi niet. En anderen zien je aankomen! Kort geleden loop ik weer eens in m'n eentje om de school heen en zie hoe een stel vmbo-ers de Smart van een leraar van voren optillen en op z'n kont rollen. Dat is gaaf. Ik denk 'zal ik het doen? Meedoen?' Voordat ik tijd heb om echt na te denken loop ik er op af en zeg: 'Kan ik effe helpen?'

Ze stoppen met wiebelen, kijken me vies aan en roepen 'Fuck off, man! Go shit yerself!' En dan schommelen ze hardlachend weer verder met het autootje tot er zelfs geen twee mensen meer in kunnen. Die boodschap is duidelijk. Gelukkig gaat de bel en kan ik weer naar binnen. Alsof het daar leuker is.

Weet je, 'k weet het wel en toch weet ik het ook weer niet. 'k Bedoel, het gym is niks voor mij, echt helemaal nikser dan niks, maar wat dan wel?

De onderdirecteur denkt dat hij het goed weet. M'n moeder en ik moeten bij hem komen om over mij te praten. Wij in onze nette kleren naar hem toe. Het ziet er niet uit, maar het moet van m'n moeder. Zit m'n mentor er ook. Nou, dan weet ik wel hoe laat het is.

'k Moet je heel eerlijk zeggen, ik heb de helft niet gehoord. Iets over "gebrek aan motivatie en niet de juiste mentaliteit voor het gymnasium" en m'n mentor die zegt dat hij dat "vanuit de les kan bevestigen". En m'n moeder maar huilen. Allebei d'r mouwen hartstikke nat van het tranen wegvegen en d'r neus afvegen, want ze was "even" haar zakdoekjes vergeten.

Als ze hoort dat ik naar de T-stroom van het vmbo "mag" (en anders 'is er geen plaats voor Janus op deze school') kan ze alleen maar huilend uitbrengen: 'Je vader zou verschrikkelijk teleurgesteld zijn als hij dit wist'.

Nou, mooi dan dat hij er niet is en het daarom ook niet weet. Zit het ook een keer mee dat m'n vader weg is.

Het vmbo iets voor mij? Ik weet het niet. Ben bang van niet. 'k Weet eigenlijk maar één plek waar het goed voelt en dat is echt een droomplek.

Zohee, wat een herrie is het aan het vmbo!

Ik kom binnen bij techniek. Machines aan, skyradio keihard aan, meezingen met de radio terwijl er andere muziek uit je oordoppen komt. Een leraar die hier en daar een oordopje lostrekt en dan wat in het oor schreeuwt. Daarna een knik dat het begrepen is, het oordopje weer gauw in en fluitend verder.

Het is een heel andere herrie dan op't gym. Daar is iedereen met elkaar bezig: pennen gooien, scheten laten en dan roepen 'wat doe jíj nou?!'

Hier is iedereen met zichzelf bezig: eigen muziek, eigen gang, eigen ding.

Daar zitten vooral vrouwen vast aan hun tafel voor de klas. Proberen dreigend de baas te zijn. 'Stilte! Nu! Anders word ik echt boos! Pas op of je gaat er uit! Dit is de laatste waarschuwing. Dit is echt de allerlaatste waarschuwing. Ik waarschuw nog maar één keer...'

En intussen gaat de herrie gewoon door.

Hier zijn het meestal mannen. Ze lopen lekker

losjes door de klas. Doen alsof ze thuis zijn en toevallig een extra groot gezin hebben. Een gezin met allerlei kleurtjes, en dan ook nog eens erg veel kleur en weinig wit.

De meeste leerlingen hier zijn zwart. Ze bewegen anders, praten anders en fotograferen anders. Alle foto's op de schoolpasjes lijken op elkaar: een donkere, vage vlek waarvan je weet dat het een gezicht is. Da's makkelijk als ze hun pasje vergeten zijn: 'Hey, man, geef me effe jouw pasje. 't Mijne leg thuis en ik moet nou wat te bikken scoren. Anders hou'k 't echniemeer, weet je.'

Blij dat ze mijn pasje niet kunnen gebruiken.

De meiden zijn "lekker ding", lopen met blote schouders, truitjes die aan twee kanten kort en aan alle kanten krap zijn, piercings in blote navels en net niet blote tepels en, en, en een piercing... 'Je weet wel waar!' (met sexy knipoog en dan een gepiercete tong die uitdagend tevoorschijn kwispelt.)

'Oh, in je tong,' deed Paco pas alsof hij het niet begreep.

'Nee, dabedoel'knie. Dombo! Je weet wel waar. Achterlijke!'

En verder willen ze allemaal elk moment geeft niet waar met elkaar "seksen".

Ik word naast Willem gezet. 'Stille Willem,' brult de leraar in m'n oor alsof er nog een dopje in zit. Ook zonder dopjes weet ik al na vijf minuten dat die naam raak is. Mooi! Kan ik rustig m'n eigen dingen denken. Niemand die in alle drukte op me let.

Na een dag weet ik wie het voor het zeggen heeft in de klas. Kijk, van boven naar beneden ziet het er zo uit:

Paco (+Sandy)
Rowan en Silvano
Wesley en nog zo'n vijf jongens
alle lekkere meiden (zeven)
de saaie meiden (een stuk of vijf), Stille Willem
en ik.

Paco, Rowan en Silvano noemen zich de "amigo's" en Paco is "numero uno". Hij is op de basisschool twee keer blijven zitten en blijft op deze school zitten tot hij zestien is en kan gaan werken, zegt hij.

Ik vraag aan hem: 'Is dat niet pas veranderd in achttien?'

Eerlijk gezegd had ik dat beter niet kunnen doen. Gewoon m'n kop houden, als altijd. Paco kijkt me aan alsof ik hem vies heb laten struikelen. Pakt me bij m'n shirt, en tilt me zo even op. Paco is niet groot - ik ben vast wel een kop groter - maar wel akelig sterk.

'Je mot me niet dissen, Januskop. 't Is zestien, zeker weten. Of niet soms? Nou?!' Intussen zijn Rowan en Silvano achter me komen staan. Ik zeg van hogerop een beetje benauwd dat ik me waarschijnlijk vergist heb en dat het vast zestien is. Dan word ik losgelaten. Sta ik weer met beide benen op de grond.

Rowan en Silvano spelen wel bodyguard voor Godfather Al Paco, maar eigenlijk is Sandy dat. Die zit of staat altijd tegen hem aan te kauwen. En als Paco weer eens doordraaft, zegt zij: 'Ah, Paco, dat boeit niet. Ken je niks leukers verzinnen? Ik wel.' En dan gaan ze klef kauwgom ruilen. En omdat die van Paco ver weg zit, zijn ze lekker lang aan't zoeken. Kan hij een tijd niks zeggen. Misschien wil Paco dat dan ook niet.

Nou, de andere jongens staan daar dan een beetje bij. Wesley valt wel mee. Die zegt niet veel. En als hij wat zegt, is het maar raden of hij het tegen jou heeft. Wes heeft een gruiskop, dat wil je niet weten. Alsof er in de wieg een bak met kiezels op z'n gezicht is gevallen. En z'n ogen had hij net op tijd weggestopt, want die zie je niet.

Daar lopen weer zeven biggetjes omheen te gillen om aandacht. Af en toe wordt er een even flink gepakt. Krijsen, man. Zo van 'Neeeee, niet doen, laat me los, engerd! (Meer, meer, meer! Ga door!)'

De rest van de klas leeft in z'n eigen wereld overal langs. 'k Vraag me af of dat dezelfde droomwerelden zijn als die van mij. Vast niet.

Als ik droom, zit ik dikwijls dichtbij maar is alles toch anders. Dan hoor ik er echt bij. Ben ik niet een van die suffelingen, maar sta ik stoer schouder aan schouder met m'n maten, met Paco bijvoorbeeld.

Toen ik pas geleden uit school kwam, zag ik een paar kinderen op de stoep zitten bellen blazen. Steeds weer zo'n glanzende bel de lucht in.En weet je, als die kapot ging was er niks aan't handje. Luchtbel uit elkaar gespat? Helemaal niet erg. Gewoon weer een nieuwe blazen en daar blij naar kijken. Elke keer weer.

En dan heb ik m'n verre droom, van de noorderzon, als ik nergens bij wil horen en me toch fijn wil voelen. Tja, je moet toch ergens zijn als je hier niet wilt zijn en je niet weg kunt.

Maar 'k haal het niet in m'n hoofd om die anderen te vragen of ze dromen - vast wel! - en wat dan wel. Dromen moet je hebben, niet delen, anders zijn ze niet meer van jou. Dan hou je helemaal niks over.

Van de leraren aan het vmbo vallen alleen die van ICT en van Nederlands er buiten. De eerste wordt Willy Wartaal genoemd. Je kan wel raden waarom. De laatste wordt door iedereen gehaat. En hij haat leerlingen, volgens mij. Knoest heet die man en zo ziet hij er ook uit.

Ik wil niet veel zeggen, maar die had al lang met pensioen gemoeten. Ze zeggen dat Paco altijd een hartstikke scherp mes op zak heeft, maar die knoest is nog veel scherper met z'n tong. Allemachtig!

Hij is de enige bij wie Paco en Sandy ver van elkaar zitten, anders zitten ze maar aan elkaar. Als ze het over hem hebben is het altijd K3. 'k Bedoel niet die Belgische kleutergroep, nee: klotenklapper, klepzeikerd en kut. De eerste twee is hij zelf, en kut is het zwaar bij hem. Elke pauze na een les van hem wordt dat door de amigo's hartgrondig herhaald.

Rob, onze mentor, is supergaaf. 'k Moest eerst wel aan hem wennen. Hij praat apart. Wat hij zegt klopt vaak net niet, maar 't komt wel altijd over. Eerst denk ik 'zit-ie nou iedereen voor de gek te houden?', maar dan merk ik: zo is Rob echt.

De eerste les bij hem, kom ik binnen en wacht even bij de deur. Sandy loopt meteen op me af, pakt me bij m'n kruis en roept:'Ha, Michael, hoe is't met de kleine jongetjes?'

Iedereen lachen, Rob ook. Ik niet dus. Weet even niet wat ik moet doen.

Zegt Rob: 'Sandy, vraag dat straks na school maar weer opnieuw, en dan aan Paco. En het liefst graag op jouw manier voor de bewakingscamera. Dan heeft Co de conciërge ook nog een leuke tijd aan z'n dag.'

Iedereen weer lachen, zelfs Sandy en Paco. En ik ook een beetje.

Rob grijnst breed naar me, kwakt een stoel naast die van hem in de kring, zegt 'Zit, Janus' en praat dan gewoon verder.

Na een paar keer les van Rob, meldt hij: 'Mensen, effe iets nieuws. De volgende twee weken die eraan staan te komen, worden de uren begeleiding en verzorging bij elkaar samengevoegd. We gaan dan "diskuzeuren" over relaties. De eerste keer over uiterlijk en daarna over de emoties die je erbij voelt. Oftewel, met andere woorden, het innerlijk. Zijn we eerder klaar, dan mag je eerder weg. Maar zeg het niet tegen de leiding, dan kraait er geen hond naar. Ik zeg het nu alvast, want we moeten er wel serieus ernst van maken, dan kunnen we tegen die tijd het onderste uit de kan laten zien.'

De eerste les, over uiterlijk, zitten Wesley en ik samen aan de computer een testje te doen. Zo gebeurd, want Wes met z'n gruiskop kan eerlijk gezegd niet zo veel en ik wil niet zo veel.

Wes duikt achter het schoolfilter en vindt een site waar zelfs Sandy van zou blozen. Opeens klikt hij het weg. Staat Rob achter ons. Wesley is misschien niet wijs, maar zeker niet gek. Echt niet.

Rob zegt dat hij me nodig van man tot man onder vier ogen wil spreken. Morgen eerste pauze. Vraag me af wat hij te zeggen heeft. Zou Rob de plaatjes gezien hebben?

In de eerste pauze kijk ik voorzichtig om de hoek van Robs lokaal. Staat hij opeens met een heet bakkie koffie achter me. Rob rent naar z'n tafel, laat daar het bekertje los, wrijft in z'n handen. Grijnst weer breed naar me en zegt wat ik al verwachtte: 'Zit, Janus.'

Rob vertelt dat een paar docenten, waaronder die K3-knoest, zich ergeren dat ik zo weinig doe. Hij begrijpt het wel. Heeft zelf zo'n zoon. Die heeft ook weinig motivatie om harder te werken.

'Tja', zegt hij, 'die keuze is moeilijk, Janus, maar je moet hem toch een keer doorhakken.'

Dan kijkt Rob me aan zoals ik denk dat hij z'n zoon ook aankijkt en vraagt: 'Janus, als je zo zit te dromen in de les, waar droom je dan van?'

Tegen hem kan ik het wel zeggen, denk ik. Niet van m'n dichtbije dromen, wel van m'n verre droom, want die heb ik vaak in de klas.

'Van de noorderzon,' fluister ik en kijk intussen hard naar het tafelblad.

'Van de noorderzon,' herhaalt Rob, terwijl hij wacht tot ik hem weer durf aan te kijken. 'Ja, da's best een heel flink eind hiervandaan.Daar moet het wel fijn zijn, als ik zie hoe tevreden je in de les afwezig zit te zijn. Blijf dromen, Janus, maar doe af en toe ook zo nu en dan alsof je wakker bent.'

En dan geeft Rob me een hand! Machtig, hè? Met zo'n vader zou je mooi bij de les blijven. Hoefde je nooit 'een heel flink eind hiervandaan'.

Paco is de bigboss en dat wil hij weten. En wij moeten 't ook weten. Daar zorgt hij wel voor.

In de pauze staan Paco en Sandy in het fietsenhok bij hun fietsen tegen elkaar de tijd weg te kauwen. De bodyguards staan gevechtsklaar voor indringers. Dan de boys met Wesley. En daaromheen rennen die gillende biggetjes.

Als er eentje met heel veel gekrijs wordt gepakt, is er altijd wel iemand die naar de camera zwaait en roept: 'Niks aan de hand, Co! Fietsen bietsen we wel ergens anders.' Of zoiets.

Meestal sta ik aan de andere kant van het hok bij de sloot m'n brood aan eendjes te voeren of met kiezels te kijken hoe vaak ik ze kan kaatsen op het water. Af en toe gooi ik een steentje als een stukje brood omhoog, maar daar gaat geen snavel voor open. Slimme beesten. Vast trekvogels. Die moeten wel clever zijn willen ze blijven leven.

Soms ga ik toch bij de anderen staan, vooral als ze opgewonden zijn. Merken ze dan toch niet. In ieder geval vinden ze het niet erg.

'k Moet je even vertellen dat Rob foto's van z'n kinderen op z'n tafel heeft staan. Drie lijstjes. Als hij het lokaal inkomt geeft hij ze alledrie een kus.

'Nou jaaaaa! Belachelijk! Overdreven!' vinden de meesten.

't Heeft best wel wat', denk ik bij mezelf.

Hoor ik Sandy zeggen: 'Volgende keer zet ik m'n eige lijssie derbij. Kijke wat-ie doet.'

Een paar mensen kunnen er om lachen.

Paco komt er gelijk overheen: 'Asje een lijsje om je hoofd doet en je gaat op je knieën voor z'n tafel zitten, heb-ie dat vast niet in de smiegerd. Krijg je ook een lekkere smakkert.' Hij grijnst de kring rond. Iedereen lacht alsof het leuk is. Stelletje lafaards. Niemand durft niet te lachen.

Komt Sandy door het dolle daar weer overheen, terwijl ze even los raakt van Paco: 'Daziekwelzitte! Rob heb van die sexy lippe, die snokkelt vast lekker sappig. En,' ze kijkt rond alsof nu de klapper komt, 'as ik toch op m'n knieën zit ken ik'm gelijk effe beffe.'

Nou wordt het zo stil dat ik m'n hoofd om de hoek van het hok steek. Paco kijkt als een messenslikker die eigenlijk nodig moet niesen. Hij werpt Sandy een blik toe zo van 'val dood, stom wijf'. Knikt met z'n hoofd naar Rowan en Silvano. En de numero's een, twee en drie stormen de school in.

Weet je, als Sandy zo in haar eentje dat hele eind van het fietsenhok naar de school loopt, ziet ze er eigenlijk best wel zielig uit.

De volgende les is techniek. Daar nog meer herrie dan anders omdat Paco als een gek met van alles gooit. Maar als de leraar even koffie is gaan bijtanken, wordt het opeens zo stil dat ik Willem bijna kan horen denken. Staat Paco te stralen bij een bankschroef met een mobieltje ertussen!

Iedereen staat te kijken van 'dat doet-ie nooit!' 't Is vast het mobieltje van Wesley, want die zet voor zijn doen akelig grote ogen op. Paco doet het wel. Draait de schroef dicht.

'k Wist niet dat een mobieltje zo kon knarsen. En dat er zoveel losse onderdelen in zo'n ding zitten.

De bodyguards zijn naast Wesley gaan staan voor

alle zekerheid. Die kiest eieren voor z'n geld, doet dus niks.

Sandy doet wel wat. Ze rent op Paco af, hangt om z'n hals alsof hij Tarzan is en haar mag redden. Roept bewonderend 'Ohhhh, Paco!'

Meteen is het weer goed tussen die twee.

Paco loopt naar Wesley toe, slaat hem op z'n schouder en grijnst 'Don't worry, Wes, be happy. Mogge heb ik een nieuwe voor je geritseld.'

Wesley kijkt de andere kant op.

Je mag zeggen wat je wil, maar de volgende dag heeft Paco echt een gloednieuwe mobiel voor Wes. Vlak voor de les over relaties kwakt hij het apparaat voor Wesley op z'n tafel. Wes kijkt ernaar en schuift het dan van zich af alsof het te lang in de magnetron heeft gelegen.

Dan komt Rob binnen en let iedereen op hem. Er is iets met onze mentor. Hij gaat schuifelend naar z'n tafel, alsof hij op glad ijs loopt. Pakt de foto's, poetst van elk het glas op, maar zo voorzichtig alsof het elk moment kan breken. Niemand denkt meer aan Sandy's lijstje.

De rest van de les gaat ook anders en hartstikke verkeerd.

We hebben het wel over relaties - en natuurlijk vooral over zoenen en seksen - maar Rob zit erbij als een alien. Niet van deze wereld.

Paco en Sandy zitten elke les aan elkaar gekleefd

- behalve bij Nederlands natuurlijk. Maar normaal gesproken doen ze dat bij Rob ook niet. Als ze tegen elkaar aan zitten roept Rob naar ze: 'Kom erbij en laat je handen even thuis met rust, en hier ook.'

Dat doen ze dan. Van hem kunnen ze dat hebben.

Deze relatieles zitten ze wel aan elkaar en blijven dat doen. Alsof zij de plaatjes bij de les zijn. We krijgen het over tongen en die twee daar zorgen voor beeld en geluid. Rob ergert zich woest, dat merken we, maar laat ze hun gang gaan. Niks voor hem.

Op een gegeven moment kijkt hij zo kwaad naar hen dat Sandy zelfs medelijden met hem krijgt. Ze loopt naar Rob toe, zegt lief 'Aaaach, mees, we zitten je alleen maar een beetje te fukken', aait hem over z'n bol alsof hij haar kleine broertje is en wil hem een kusje op z'n voorhoofd geven.

Dat is de druppel. Rob duwt Sandy zo heftig van zich af dat haar kauwgom op de grond vliegt en zij er achteraan.

'Nou is de maat meer dan overvol, Sandy!' brult hij. 'Ik wil voorlopig even niks met jou te maken hebben.'

Sandy staat op. Rowan en Silvano houden deze keer Paco tegen. Terwijl Sandy het lokaal uitloopt, roept ze naar Rob: 'Krijg de kolere. Kankervent!'

Rob pakt blindelings z'n tas, stopt de foto's erin, mompelt nog 'kankervent!' en lacht dan een beetje in zichzelf. Da's gewoon eng om te zien. Hij loopt naar de deur, zonder naar ons om te kijken. Slaat die achter zich dicht, met een donderslag. Maar geen heldere hemel. De lucht is pikzwart.

De dag erop is de klas in rep en roer. Sandy en haar ouders gaan een klacht indienen tegen Rob. 'k Weet niet wat Sandy thuis allemaal verteld heeft, maar Rob wordt niet alleen aangeklaagd voor geweld maar ook voor "sexuele intimidatie".

Als ik het hoor, kan ik m'n oren niet geloven. Moet je nagaan, sexuele intimidatie bij Sandy! Ik word zo verschrikkelijk kwaad! Ik bedoel, als een stotteraar bij Sandy niet verder is dan de eerste P van PPPPaco, ligt ze al plat, zal ik maar zeggen. Met al haar piercings bloot. Ja, ook die van "je weet wel waar". Sodeju!

Ik zeg niet zo gauw wat, dat weet ik, en ik doe ook niet zoveel, dat weet iedereen, maar hier moet ik wat van zeggen en wat aan doen, vind ik. Dit is te gek voor grappen. Dit heeft Rob echt niet verdiend.

Als Sandy uit school haar fiets pakt, zal ik zorgen dat ik er ook ben. En tegen haar zeggen dat ze 't maar beter kan vertellen zoals het echt gegaan is. Dat Rob niet zo kwaad had moeten worden, maar dat zij hem uitgedaagd heeft. Anders had Rob dat nooit gedaan. En eigenlijk was het meer per ongeluk.

Ik sta op mijn bekende plek achter het fietsenhok te wachten als Sandy eraan komt. Ze haalt haar fiets van't slot en ik steek m'n hoofd om de hoek.

'Hey, Sandy.'

'Hey, Janus, wat doe jij hier, man? 'k Schrik me tebarste.'

'Nou, Sandy, 'k wou alleen maar zeggen, ik vind eigenlijk dat Rob 't niet verdiend heeft dat-ie door jou zo in de zeik wordt gezet. 't Is echt anders gegaan dan jij zegt. Dus ik vind, je kan beter gaan vertellen hoe het wel gegaan is. Want iedereen zat er bij en kan vertellen wat er echt gebeurd is.'

'Zohee. Vin je dat echt, Janus?'

Ze kijkt even langs me heen, maar dan kijkt ze me opeens lief aan, laat haar fiets los. 'Nou, voor een kusje zal ik er over denken.'

Ze loopt op me af, trekt m'n hoofd naar haar toe. M'n mond valt open van verbazing. Dat komt Sandy goed uit, want ze begint heftig met me te tongen. Alleen heeft die vuile gluiperd d'r kauwgom op de punt van haar tong gelegd en bij mij achterin m'n strot geduwd.

'Dach jij mij te kunnen dreigen, draadezel?! Kauw hier maar lekker op. Als Paco aids heb, krijg jij het ook.' En roept dan: 'Paco! Paacoo!!'

Terwijl ik de kauwgom achteruit m'n keel probeer te hoesten, komen de drie amigo's aangerend.

'Janus heb't in z'n kop gekregen, dat Rob mij niet seksuweel gintimideerd heb.'

Paco pakt me midden in m'n hoestbui beet. 'Je moet mijn en Sandy niet dissen, Janus. Morgen mot iedereen an de directeur vertellen wat er gebeurd is. Dus dan vertel jij, net als al die andere, zeker weten, dat Rob Sandy te grazen heb genomen. Of niet soms?'

De bodyguards hebben intussen allebei m'n armen omgedraaid, me op m'n knieën gezet en m'n hoofd achterover getrokken tot ik denk dat m'n nek knapt.

'Of niet soms?!' vraagt Paco weer dreigend en kijkt me recht in m'n ogen.

Ja knikken kan niet eens meer, dus komt er een benauwd 'ja' tussen twee hoesten door.

Dan lijkt alles weer koekenei. 'k Mag weer gaan staan en ook nog los. Paco slaat me op m'n schouder alsof ik z'n beste amigo ben. Zegt 'Hatsikidee.' Draait me om, geeft me een duwtje en dan kan ik het hok uit.

Achter me hoor ik een klik. Word dan onderaan mijn jasje beetgepakt. Hoor een geluid dat ik niet ken en plotseling zit m'n jasje tot aan m'n kraag veel te ruim.

't Flitst door me heen: 'Dus Paco heeft echt een mes.'

Heeft hij m'n gloednieuwe jasje aan de achterkant van beneden naar boven open gesneden! Zal je m'n moeder horen!

Roept Paco hard achter me aan: 'Ken je raden wat je krijg als je morgen wat anders vertelt, Januskop!' Zij lachen.

Ik struikel het fietsenhok uit, hoest die klont kauwgom met zoveel vaart los dat die zo wordt opgevangen door een van de eenden. Hebben we straks nog een eend met aids!

'k Wil niet veel zeggen, maar 'k wou dat ik in m'n eentje de drie musketiers was. Zouden we alledrie Paco onze zwaarden laten inslikken, allemaal tegelijk, in één keer. En dan zou'k ze nog's flink aanduwen en aandraaien om zeker te weten dat ze goed vast zaten.

'k Moet je heel eerlijk zeggen, aan de dag daarna denk ik liever niet. Als ik er wel aan denk, voel ik me zwaar waardeloos.

We zitten met alle leerlingen van de klas, behalve Sandy natuurlijk, in een soort wachtkamer. Co brengt ons om de beurt naar de onderdirecteur. Die wil weten wat er precies is gebeurd tussen Sandy en Rob.

Wie weg is uit de wachtkamer komt er niet meer terug. Logisch want anders kan je iedereen die daar nog zit vertellen wat je gezegd hebt. Wat ze niet door hebben is dat Paco iedereen al onder't mes heeft gehad.

Okeedan, ik kom bij de onderdirecteur die mij vraagt of Rob geprobeerd heeft Sandy te pakken. "Lichamelijk betasten" noemt hij het!

Ik kijk naar m'n schoenen, denk aan m'n gloednieuwe jasje dat ik nog niet aan m'n moeder heb laten zien en fluister 'ja'.

De onderdirecteur zegt: 'Ik zie dat je er nog van

onder de indruk bent, Janus. Dat kan ik me voorstellen. Ik dank je voor je eerlijkheid.'

Eerlijkheid! Laat me niet lachen! 'k Weet een nieuwe naam voor mezelf. Hallo, even voorstellen: ik ben Judaskop.

'k Voel me zo compleet klote, 'k heb niet eens zin om de noorderzon op te zoeken. En dichtbij dromen dat het anders is gegaan lukt deze keer echt niet. Daar is het te erg voor.

De volgende dag komt de onderdirecteur onverwachts bij Nederlands binnen. We zitten zwijgend klaar voor een dictee. Maar ook zonder dat dictee heeft niemand veel gezegd vandaag.

'Jongelui,' zegt de onderdirecteur, 'ik kom met een trieste mededeling. Voorlopig komen de uren verzorging en begeleiding van de heer de Ridder, voor jullie Rob, te vervallen. De heer de Ridder, ehh Rob dus, heeft een paar dagen geleden het verdrietige bericht gekregen dat één van zijn kinderen erg ziek is en dat die ziekte naar alle waarschijnlijkheid ongeneeslijk is. Daarom heeft hij gemeend er goed aan te doen met onmiddellijke ingang zorgverlof aan te vragen om zijn kinderen - en het ene kind met name - de komende tijd full-time te kunnen verzorgen. Wij wensen hem daar veel sterkte bij. Een brief hierover is inmiddels naar jullie ouders verzonden. Mochten jullie het adres van de heer de Ridder wensen voor een persoonlijke reactie, kunnen jullie dat voor deze keer verkrijgen bij de administratie.'

De onderdirecteur kijkt de klas rond alsof hij nog wat wil zeggen, maar loopt dan het lokaal uit.

Iedereen zit doodstil voor zich uit te staren. En ik, ik kan het niet helpen, ik moet lachen want het is zo erg.

'k Ben de laatste maanden flink gegroeid en dat heeft z'n nadelen. Zo zie ik opeens dingen die ik echt niet wil zien, ook niet als ik terugkijk.

Aan de andere kant, door die groei heb ik allemaal nieuwe kleren nodig en dat heeft wel wat. Vandaar m'n nieuwe jasje. Ai, heb ik nog niet aan m'n moeder laten zien. Ze vroeg wel waarom ik m'n oude weer droeg. Ik zeg: 'De ouwe zit zo lekker. Die nieuwe is nog even wennen.'

'Ja, daarom begin ik maar niet aan een nieuwe man,' zegt ze en perst er een zure glimlach uit.

Dat is balen, want net daarvoor heeft ze me al met zo'n halfzachte blik aangekeken en me "haar grote kerel" genoemd.

'Je wordt vast net zo lang als je vader.'

Die man is wel met stille trom vertrokken, maar m'n moeder haalt hem steeds met veel tamtam terug.

Afijn, nu we het toch over hem hebben: wat is het een schijnheilige grote goorlap.

Ik zit tegenwoordig op zijn kamer. En niet alleen als ik voor school moet werken, want dan zou ik er eerlijk gezegd nooit hoeven te zitten. Ik speel er cd-tjes, kijk af en toe - nou ja, best wel vaak - een dvd'tje. M'n vader had z'n apparatuur goed voor elkaar. Ik zit er ongestoord, want m'n moeder komt er nooit. Dan "komt het te dichtbij", zegt ze. Alsof die kamer erger is dan de herinneringen die ze steeds maar ophaalt.

Ik kijk de laatste tijd met gemak over de boeken op de eerste plank heen zonder m'n nek uit te steken. Daar staat een hele serie over klassieke goden en vijf keer hetzelfde boek van Richard Brautigan.

Waarom vijf keer hetzelfde boek? Dat vertel ik zo wel. Eerst dit.

Zie ik achter die boeken dvd-doosjes liggen. Nooit geweten dat die er lagen. Zou m'n vader het godengraven soms gefilmd hebben? Ik kijken. Vind ik een doosje "SexyCinema" van Playboy en verder twaalf dvd's met een dik elastiek eromheen en een papiertje met m'n vaders handschrift: The Dirty Dozen. Hij had wel humor, die vader van me. Ik word nieuwsgierig en ga maar eens een filmpje kijken.

Gatver, wat een gore troep! Dat wil je niet zien, laat staan met iemand uitvreten. Je moet wel helemaal ontspoord zijn om dat leuk te vinden. En dat vond m'n vader wel leuk! Kan je nagaan wat een schijnheilige geilbek hij eigenlijk was.

Moet ik terugdenken aan de vakanties. Dat is lachen. Wat goden graven? Niks goden graven! Geen wonder dat hij er als een haas vandoor ging als ik zei dat ik mee wou. Was m'n vader vast op weg naar z'n eigen playgirl. Samen tekeergaan als Griekse goden: me Zeus, you Aphrodite? Nou, zo te zien speelt Zeus wel verschrikkelijk vieze spelletjes. Jassus, wat een goorlap!

Hopelijk weet m'n moeder hier niks van. 'k Denk eigenlijk ook van niet. Ze heeft het zo vaak over Richard Brautigan - dat zou'k ook nog vertellen - en dan kijkt ze alsof ze heimwee heeft.

'Die vader van je was zo weg van Brautigans boek *In Watermelon Sugar* dat hij altijd en overal keek of hij er nog een exemplaar van kon vinden.'

Dat zegt ze steeds met zo'n blik van ver verlangen in haar ogen.

'Toen we nog samen waren. (Met 'we' bedoelt ze haar en m'n vader. En 'samen' is toen ik er nog niet was.) Als hij het boek in een kraampje zag, dan kocht hij het, ook al was het voor de vijfde keer, en las het als nieuw. Zat hij met z'n hoofd weer lekker in de nineteensixties. De tijd van de flower power en de sexuele revolutie,' zegt m'n moeder dromerig.

Nou, ik weet wel welke van die twee m'n vader het meest boeide. En als zij wist waar hij eigenlijk van droomde, had ze Richard Brautigan vast vijf keer het raam uitgegooid. Maar ja, dan had ze juist die doosjes gevonden, en dan ...? Geen idee. Misschien hadden ze dan over heel iets anders ruzie gekregen dan over mij. Of ik was er helemaal nooit van gekomen.

Gek om daarover te denken. Dat je er niet bent. Hoe zou dat zijn? Zou je dan toch iets voelen? Niks voelen kan toch niet?

De volgende dag ben ik nog steeds zo met m'n hoofd bij die 'dirty dozen' en bij m'n vader als gore gluurder dat ik in de pauze gewoon met de rest meeloop en bij hen ga staan. Ze kijken even naar me en dan naar elkaar, zo van "zullen we er wat van zeggen?", maar laten het gaan.

't Is wel wennen, want Sandy is er niet bij. Paco staat groot te doen. Grijnst de kring rond na elke zin die hij zegt en krijgt dan beleefd applaus, vooral van Rowan en Silvano.

Ze krijgen het over jatten. "Kabassen" noemt Paco dat en kijkt alsof hij expert is. 'k Weet niet hoe't komt, maar op een gegeven moment heeft Paco het plan om bij Phototronic wat te gaan "kabassen".

'Weet je wel, Wes, waar jouw mobieltje vandaan komt?' lacht hij.

Alleen Wes en ik lachen niet mee. Dat ziet Paco ook.

'Wes, jij gaat met mij mee naar binnen. Mensen schrikken altijd van jou. Da's makkelijk bij de kassa. Geintje, Wes.' Vette grijns en mager applaus.

'Rowan en Silvano, jullie staan bij de ene uitgang. En Januskop, jij staat bij de andere, voor't geval dat.'

Dat zie ik helemaal niet zitten.

'Nou, ehhh ... ,' begin ik.

Paco's blik snijdt op me af. 'Hoe is't met je jasje, Janus?' vraagt hij dreigend.

'k Weet even niks te zeggen. Loop maar om het hok heen naar de eenden. 't Heeft wel wat: trekvogels. Kan je weg wanneer je wil, waar je maar wil.

Het laatste uur - verzorging - valt uit. De bende brult z'n weg naar Phototronic. Hoe wil je opvallen als je stiekem gaat stelen, denk ik. Wesley en ik lopen achteraan.

Bij Phototronic gaan Rowan en Silvano in de maffiahouding buiten bij de ene uitgang staan. Ik loop naar de andere kant.

Binnen bij de deur zit een jochie in zo'n wiebelautootje druk aan het stuur te draaien en 'vroem, vroem' te roepen. 'k Zie het meteen, die doet mee aan Formule-1.

Ik hou m'n tasje in m'n ene hand omhoog en vlag ermee dat hij als eerste over de finish gaat. Hij begrijpt het onmiddellijk. Juicht hard met z'n armen hoog in de lucht.

Stralend start het joch een heel verhaal dat hij straks als hij groot is van z'n vader in zíjn auto mag leren rijden en dat z'n vader heeft beloofd dat die dan een raceauto voor hem koopt en dat z'n vader en moeder dan naar hem komen kijken.

Ik zeg dat dat hartstikke gaaf is en dat ik zie dat hij al vetgoed kan racen. Dat hij zo de baan op kan.

En dan vast meteen wereldkampioen wordt. Het jochie zit te stralen van trots.

Opeens gaat het alarm. Wesley staat uit het niets naast me.

'Weg, Janus,' zegt hij.'Niet rennen. Lopen.'

We lopen dus naar buiten. Het joch roept nog wat naar me. Ik kijk om en zie dat de deuren aan beide kanten dicht zijn.

Paco staat bij de andere uitgang binnen wanhopig tegen een dichte deur aan te duwen. De bodyguards staan buiten hulpeloos te kijken naar hun amigo numero uno.

Zegt Wes: 'Zo, kan Paco geen mobieltjes meer mollen.' Ik kijk hem verbijsterd aan. Zie dan iets wat ik nog niet eerder heb meegemaakt: een grote smile bij Wesley. Echt zo'n halloween-smile - alle tanden bloot.

Vraagt Wes: 'Heb jij een webcam, Janus?'

Ik schud nee. Doet hij z'n tasje open en laat hij een kersverse webcam zien. Zit nog in de verpakking. Wij lachen.

'Za'k'm straks bij je installeren?' biedt hij aan.

Ik knik.

Uit school gaan we naar mij toe. Goed dat m'n moeder de hele dag werkt. Kan Wesley op z'n gemak de webcam aansluiten. Niet dat hij er veel tijd voor nodig heeft. Wes is echt wijs met computers.

We hebben zelfs nog tijd om een filmpje te kijken. Ik denk 'tegen Wes kan ik het wel vertellen.'

Dus ik laat hem de dvd'tjes zien en zeg 'moet je kijken wat een smeerpijp m'n vader was.'

Wij kijken naar zo'n playboy-filmpje. Na een paar minuten zitten we allebei te gapen. Saai! Van dat dikke, grote tietenwerk en verder niks. 't Lijkt wel of ze van rubber zijn. Je zal je hele leven met van die skippyballen voor de deur moeten rondlopen. En dan ook nog zo strak blijven lachen.

Maar ja, m'n vader zag die ballen dus wel zitten. Ons boeit het niet echt.

Wesley pakt z'n spulletjes en loopt naar beneden. Bij de deur zegt hij: 'Morgen bij mij, wargames?'

Ik zeg 'goed'.

Heb het gevoel dat Wes en ik misschien wel vrienden aan het worden zijn. Bij dat gevoel zijn wargames zelfs leuk.

De klas wordt steeds leger. Eerst Sandy weg. Die zit nu op een andere school, misschien wel aan een andere Paco te plukken. Paco zelf is er vandaag niet.

Rowan en Silvano ook een tijdje niet. Die worden door Co "uitgenodigd voor een gesprek met de onderdirecteur". Dat roept hij met een stem alsof hij zonder microfoon in de ArenA moet optreden.

Intussen durf ik het om naast Wesley te gaan zitten. Die zegt niks, dus ook niet iets als "Fuck off, man!" ofzo.

Later komen de twee amigo's lamgeslagen terug en wordt Wes ook door Co opgebruld.

Als hij terug naast me komt zitten, vraag ik: 'Ging het goed?'

Wes kijkt in mijn richting en dan lacht hij weer al z'n tanden bloot.

Zohee, dat is de tweede keer in twee dagen dat Wes lacht. Gekker moet het niet worden.

's Middags loop ik mee met Wes. Als ik binnenkom bots ik bijna tegen z'n moeder op. Eerlijk gezegd vind ik het maar een raar mens.

'Ah, Djeenus,' zegt ze met een lief stemmetje, 'ik heb al veel over je gehoord. Leuk dat je met mijn Wesley komt spelen.'

Kijk, "Djeenus" klinkt wel prettig. Leuker dan Janus, Jaonus of Zjanúús. Maar zoals ze er uit ziet. Dat ziet er niet uit. Echt niet. Heeft ze een T-shirt aan met "Watermelon Woman" erop. Maar waarom draagt ze geen bh, zoals alle moeders?

Ik kijk ernaar en moet aan Richard Brautigan denken en aan m'n vader met z'n skippyballen. Die van Wesleys moeder hebben zo te zien al een tijdje voor de deur gelegen. Daar is al aardig wat lucht uitgelopen. 't Zijn meer hangperen.

Wes z'n moeder ziet me kijken, lacht naar me zoals mijn moeder kan als ze me haar "'grote kerel" noemt en daarmee aan m'n vader denkt. Ze zegt: 'Ken je Santamaria? Die heeft "Watermelon Man" geschreven. Heerlijke muziek.'

Ze swingt een beetje met haar heupen, de rest zwaait mee. Dat bedoel ik dus, het ziet er niet uit.

Ik loop maar snel langs haar heen naar Wesley's kamer. Intussen aait ze me even in m'n nek en zegt: 'Maar ja, Djeenus, dat "Man" past niet zo bij mij, vind je wel? Dus heb ik er maar "Woman" van gemaakt. Ik kom jullie zo wat te drinken brengen. Wat wil jij dadelijk drinken, Djeenus?'

'Oh, doe maar wat,' mompel ik.

Ze begint te lachen en vraagt: 'Meen je dat?'

'Ja,' zeg ik over m'n schouder naar haar, 'geeft niet wat, ik vind alles lekker.'

'Dan kom ik je zo verwennen met iets lekkers,' zegt ze en blijft zachtjes lachen totdat ik de deur van Wesleys kamer achter me dicht doe. Wat een mens!

Op z'n kamer zit Wes startklaar. Warmachine is al opgestart.

'k Weet het niet, maar of ik heb m'n dag niet of Wes is steengoed. We zijn nog maar net begonnen of hij zit al halverwege de 350 punten om te winnen.

Net als ik m'n legers hergroepeer, komt z'n moeder binnen.

'Zo, iets lekkers voor m'n jongens.'

Zet twee grote glazen met cola en een boel ijsblokjes voor ons neer. Dan leunt ze over m'n schouder om te zien welke game we aan't doen zijn.

'Oh, warmachine. Ach, Djeenus, laat me je even troosten, want zo te zien ben je aan't verliezen.' en ze aait me over m'n hoofd. Tegen m'n gel in ook nog, stom mens! 'Maar 't is geen schande om van mijn Wes te verliezen, hoor. Die is zo goed in spelletjes.'

Ze loopt op haar zoon af en probeert hem even te knuffelen.

In één vloeiende beweging slaat Wes met links z'n moeder van zich af en met rechts mij uit het veld. Game over.

Ik kijk hem stomverbaasd aan. Zo heb ik hem nog nooit bezig gezien. Ik drink zo snel m'n cola op dat ik hoofdpijn krijg van de ijsblokjes.

'Nou, dan ga ik maar,' slik ik m'n verlies weg.

Beneden roept de Watermelon Woman naar me: 'Heb je leuk gespeeld, Djeenus?'

Ik zeg ja alsof ik het meen.

'Kom je morgen weer?' vraagt ze.

Ik kijk naar Wesley. Die knikt dat hij het goed vindt.

'Ja, vast wel,' zeg ik dan.

'Leuk, dan zie ik je morgenmiddag weer. Daaag, Djeenus.'

En ik sta buiten. Snel naar huis, naar m'n eigen moeder.

'k Ben gewoon opgelucht als ik haar zie.

Tijdens het eten zit m'n moeder er wat afwezig bij, zoals ik in de les. Ze vraagt niet eens waar ik geweest ben.

'Is er wat?' vraag ik dan maar.

'Ja, of nee, nou ja, ik weet het eigenlijk niet.'

'Hoe bedoel je?' Want hier word ik niks wijzer van. Dit is m'n moeder op d'r helderst.

'Nou, een paar dagen geleden ging de telefoon en toen ik opnam hoorde ik niets, behalve iemands ademhaling. Dat duurde even en toen werd de lijn verbroken.'

'O, vast een verkeerd nummer gedraaid.'

'Ja, dat dacht ik ook, maar vandaag gebeurde hetzelfde.'

'Weer geen woord?'

'Nee, en wat ik eng vond: het leek wel alsof de beller op iets wachtte.'

'Kon je zien wie het was?'

'Nee, het nummer was afgeschermd. Weet je zeker dat het niet voor jou was?'

'Ma, wie mij belt doet dat wel op m'n mobiel. Is het geen stiekeme aanbidder van je?' vraag ik om haar wat af te leiden. 'Iemand op je werk die jou wel ziet zitten?'

Het is verrassend hoe m'n moeder daar op reageert. Ze kijkt een stuk minder bezorgd, geeft geen antwoord, maar begint zachtjes bij zichzelf te neurien. Zo te horen geen droevige smartlap.

Paco is geschorst. Van die Nederlandse knoest horen we dat 'jullie medeleerling Paco door de politie gehoord wordt in verband met meerdere winkeldiefstallen en door de school geschorst is zolang dat onderzoek duurt.'

Die zien we dus vast en zeker niet meer terug.

Rowan, Silvano en Wesley hebben een waarschuwing gekregen.

Mij hebben ze vergeten te noemen, anders zou ik er ook bij horen, bij degenen die met een waarschuwingsbrief naar huis mogen. Nou ja, dat scheelt weer een boel tranen thuis.

'''t Wordt zo trouwens wel erg saai op school. Echt wel. Dus ik ben blij als de les afgelopen is en ik 's middags met Wes meekan.

Boffen, want z'n moeder is er niet. Er ligt een briefje: 'Ben even naar oma. Die is niet goed. Pak maar iets lekkers met Djeenus.'

Boven met cola - zonder ijs - en koek voor ons zegt Wes: 'Vandaag geen wargames.' Ik blij. 't Zit mee vanmiddag.

'Sexgames,' zegt Wesley.

Ik kijk hem aan en denk: 'Wat krijgen we nou?!'

Wesley rommelt in de onderste la van z'n bureau. Graaft een dvd tevoorschijn. Schuift hem in het apparaat en drukt op play.

'Wat een slechte opname,' is het eerste dat door m'n hoofd schiet. Maar dan zie ik het. Het is Wesley's moeder. En niet zo zuinig ook. Grote goden. Zit z'n moeder met iemand op de bank. Nou ja, ik kan beter zeggen óp iemand op de bank en ze doen dingen die zo van de 'dirty dozen' vandaan komen. Die zitten daar op de bank allebei klaar te komen. Te gaar voor woorden. En nog wel je eigen moeder! Heeft Wesley een cameraatje in de kamer gemonteerd en opnamen ervan gemaakt. Wie is zieker, die moeder of Wes?

Na een tijdje stopt Wes het beeld en zoomt in op het gezicht van de man. Net voordat het beeld alleen maar blokjes wordt, zie ik het. Sodeju, dat is Rowan!

Ik kijk Wesley aan en zeg: 'Allemachtig, Wes, waarom heb je die vieze fukker niet in elkaar geslagen?'

Wes kijkt naar z'n handen, haalt z'n schouders op en zegt niks.

Dit is zo triest, ik hou het niet meer. Ik probeer een beetje lucht te krijgen en vraag voor de grap: 'Hey, Wes, je moeder heeft het toch niet ook met jóu gedaan?'

Da's een opmerking die je wel tegen Wes kan maken, denk ik. Niet dus. Z'n ogen gaan wagenwijd open en spuwen vuur. Hij pakt me beet, dondert me de trap af, schopt me de deur uit en slaat die met een rotklap dicht.

Sta ik op de stoep met ook een grote scheur in m'n oude jasje. Nou heb ik echt niks meer.

Onderweg naar huis zit ik met net zo'n scheur in m'n gedachten als in m'n jasje. Kijk, zoals Rowan met Wes z'n moeder dat hoeft voor mij niet. Echt niet. Maar hij heeft het toch maar geflikt. Of zij bij hem. Nou ja, hoe dan ook, ik droom er wel eens van hoe zoiets zou zijn. Niet met Wesley's moeder en ook niet met zo'n skippyballtietentrut uit m'n vaders dvd's, maar ja, hoe moet ik het zeggen, met een soort Sandy zoals ze over het plein liep na die grap over Rob en dat Paco haar liet stikken. Dat je elkaar dan ziet staan en lief vindt.

Door Paco denk ik weer aan m'n jasje, nu m'n oude met die grote scheur. Ik heb een acuut probleem dat steeds dichterbij komt: hoe vertel ik het m'n moeder?

Ik schuif het maar even weg door me af te vragen wat Rowan en Wesley zouden doen als Rowan erachter kwam dat Wesley van z'n moeder en hem wist. Dat zou vast en zeker meer gescheurde jasjes opleveren.

Tot in huis blijf ik daaraan denken. M'n eigen jasje hang ik voorlopig maar even ver weg.

Dan gaat de telefoon. Zal je m'n moeder hebben, vast over het eten. Ik neem op en zeg wat vermoeid 'Ja, hallo?' Dan hoor ik niks. Geen moeder, niemand anders, helemaal niks. Als ik goed luister hoor ik wel iemand zachtjes ademen, alsof die zich wil verstoppen. Raar. 't Zal Wes toch niet zijn. Of z'n moeder?! Bij die gedachte hang ik snel op. Dan denk ik opeens: 'die anonieme aanbidder van m'n moeder. Dat was hem, zekerweten. Wat een creep! Laat ik het maar niet aan haar vertellen. Eerst m'n jasje.'

Het duurt een paar dagen voordat Wesley terug is op school. Hij komt binnen bij techniek, kijkt me niet aan en gaat meteen dik staan doen met Rowan en Silvano.

Als hij nou alleen had gestaan, was ik wel naar hem toe gegaan. Had ik gezegd: 'Sorry Wes. Slechte grap van me.'

'k Weet niet of het geholpen had, maar ja.

Inmiddels sta ik naast Stille Willem. Die staat heel de tijd wat voor zich uit te zingen. Allemaal songs die ik niet ken en ook nog hartstikke slow. Blijken het psalmen te zijn. Dat vertelt Willem aan me terwijl we samen de eenden staan te voeren in de pauze. Vraagt hij gelijk of ik hun boerderij wil zien. Ik vind het best. Heb toch weinig anders om handen. Elke dag dvd'tjes is ook niet alles.

'Als ik maar geen psalmen hoef te zingen,' waag ik te zeggen.

Willem verslikt zich bijna in zijn boterham van het lachen.

'̓t Is trouwens wel een akelig eind fietsen naar Willem. Zohee, zeker twintig minuten als't niet meer is, maar wat een boerderij! Eindeloos veel fruitbomen. Je zal daar moeten plukken. Geen wonder dat zijn ouders allebei van die grote handen hebben. En wat een mensen lopen daar rond. Het barst er van de broers en zussen, met hun kinderen, want Willem is al tig keer oom. Die wonen allemaal in de buurt en komen steeds langs. En op de zondag komt heel de familie bij elkaar. Hebben ze hun eigen kerk thuis. Zingen ze de hele dag van die langzame psalmen. 's Zondags hoef ik dus niet naar Willem.

Behalve Willem is er nog een broer thuis. Af en toe. Als hij met verlof is uit Afghanistan.

Iedereen is hartstikke trots op hem.

'Hij verdedigt het christendom tegen de moslims,' zegt zijn vader, 'en die zijn nog erger dan heidenen.'

Ze noemen hem hun "Soldaat van Oranje". Moet die broer zelf hard om lachen.

Stille Willem en ik hebben een machtig mooi spel bedacht. Op hun fruitzolder liggen hele hopen appels en peren. Daar bekogelen we elkaar mee. Wie de ander het meest raakt heeft de oorlog gewonnen. We duiken ieder aan een kant van de zolder weg. Roepen om beurten "ja", moeten dan even gaan staan en dan kijken of je de ander kan raken voordat hij wegduikt.

Willem speelt z'n broer, Soldaat van Oranje, en

ik ben een Talibaanse krijgsheer. Dat heeft wel wat. Zo'n hoge Talibaan kunnen ze niet te pakken krijgen, net als Robin Hood maar dan anders, za'k maar zeggen.

De eerste keer kom ik tevoorschijn met zo'n gare doek op m'n hoofd en sta ik te knipperen met m'n ogen alsof ik net uit een donkere grot kom. Willem staat dubbel van het lachen. Ik blijf net iets te lang staan, want opeens krijg ik een peer tegen m'n muil. Kan ik echt knipperen met m'n ogen. Willem staat gelijk voor en wint.

'Volgende keer win ik,' zeg ik tegen hem.

Als ik weg ga, vraagt Willems moeder, terwijl ze in allerlei pannen roert en met drie kleine kinderen intussen een liedje staat te zingen - geen psalm - of ik morgen ook blijf eten. Ik zeg dat ik even met m'n moeder moet overleggen.

'Kijk maar wat je doet,' zegt ze, 'we hebben altijd genoeg.'

Thuis vertel ik dat ik morgen bij Willem eet. M'n moeder kijkt alsof ze het niet erg vindt, eigenlijk alsof het haar goed uitkomt. Ik laat meteen maar de scheur in m'n oude jasje zien en zeg dat ik bij Willem aan een spijker ben blijven hangen.

'Gelukkig heb je je nieuwe jack nog. Kun je eindelijk daaraan wennen,' zegt ze bijna vrolijk. Wat is er met haar? Anders stond ze al lang in de keuken aan de rol. Maar ja, nou moet ik nog wel wat verzinnen voor m'n nieuwe jasje. En bedenken wat die stille beller met haar te maken kan hebben. Want ze is niet zomaar vrolijk. Daar is meer aan de hand.

De volgende dag is het tweede fruitgevecht met Willem en dat win ik. Daarna blijf ik eten.

Zoiets heb ik nog nooit meegemaakt. Ze praten allemaal met en door elkaar, terwijl vader en moeder de stamppot opscheppen. Mooie verhalen! Die Soldaat van Oranje over gevechten en 's nachts wachtlopen terwijl de Talibaan overal om de kazerne heen staan. Hoe iedereen daar slaapt "met één oog open". Dat hij zelfs thuis van elk geluid wakker schrikt en onmiddellijk denkt dat er gevaar is.

Z'n vriendin kijkt hem bewonderend, maar ook een beetje angstig aan. Ze zijn verloofd, hebben dezelfde ring. Kijken elkaar af en toe verliefd aan, maar komen niet aan elkaar. 'k Moet zeggen, als het Paco en Sandy waren geweest hadden ze allang zitten snavelen, elkaars stamppot zitten herkauwen. Intussen vullen Willems ouders de lege borden weer bij.

Voor en na het eten is het dan muisstil. Dan bidt Willem z'n vader en leest voor uit de bijbel. Met een stem! Je moet wel luisteren. En dan kijkt hij rond als een echte aartsvader, die blij is met z'n kinderen en kleinkinderen en ze tegen alle slechte dingen in de wereld wil beschermen.

Intussen heeft Willems moeder d'r schoot vol met kleinkinderen die lekker moe tegen haar aanhangen. Die is zo breed, daar kunnen er minstens wel drie op. Vier als ze een beetje inschikken. Zeker als ze haar armen met die grote handen eromheen houdt.

En weet je, daar is Willem helemaal niet stil.

Als ik wegga, staan Willem en ik nog even te praten bij mijn fiets. Hij vraagt waar m'n vader is. Dus ik vertel hem van de stille trom met de donderslag. En dan vertel ik hem ook van de noorderzon, MIJN noorderzon, niet die van m'n vader. Dat ik daar vaak naartoe ga en dat het goed voelt.

Dan doet Willem iets geks. Hij vraagt: 'Mag ik een keer mee?'

Ik zeg: 'Dat kan niet, want iedereen heeft z'n eigen noorderzon. Die van m'n vader zit in't zuiden. Die van mij in m'n hoofd. Daar kan ik hem altijd vinden. Nou ja, bijna altijd. En andere mensen hebben'm weer ergens anders of zijn hem nog aan't zoeken.'

'Ja,' zegt Willem begrijpend, 'jij hebt je noorderzon. Ik heb m'n ster, van Bethlehem.' Nou kijk ik hem verbaasd aan.

'Die brengt me later naar de hemel. Daar hoef je nooit niks meer te leren, want je weet alles al. Daar is het pas echt helemaal goed!'

En weetje, Willem kijkt zo blij. Dat gelooft hij echt!

Op weg naar huis is het best koud zonder jas. Maar zo voelt het niet.

De dag erna is het alweer oorlog tussen Willem en mij. We gooien als gekken met van die halfzachte appels en peren. Die spatten zo lekker uit elkaar als je hard gooit. Maar elkaar raken, homaar.

Juist als we even stil op adem komen, horen we beneden twee mensen de schuur binnenkomen. De soldaat en z'n verloofde. Ik kan ze tussen twee hopen fruit door net zien.

Ze leunt tegen hem aan en zegt: 'Wat zal het heerlijk zijn als je voorgoed terug bent en we kunnen trouwen. Voor altijd samen, in ons eigen huis.'

'Ja,' zegt hij zachtjes, 'tot de dood ons scheidt.'

Daar kijkt zij niet blij van. 'Ik ben juist zo bang dat je het niet zult overleven. Wat moet ik dan? Zonder jou?'

Hij neemt haar gezicht tussen zijn handen en lacht: 'Ik kom echt terug. Speciaal voor jou. Kom maar even tegen me aan.'

Hij trekt een stuk zeil dat daar ligt recht. Tilt haar op alsof ze Jane heet en legt haar voorzichtig neer. Zij strekt haar armen naar hem uit en hij gaat naast haar liggen. Dan liggen ze heel gelukkig en stil bij elkaar. Tot ze allebei slapen.

Eerlijk gezegd, dat heeft wel wat, toch? Geen dirty-dozen gedoe, geen ranzig gefriemel op een bank, maar samen stilletjes tegen elkaar aan liggen dromen. Vast van't zelfde.

Ik kan ze wel zien, maar Willem kennelijk niet. Hij komt iets omhoog en naar voren. Daarbij raakt Willem per ongeluk een appel, die naar beneden rolt.

Zohee! Z'n broer staat direct op z'n benen. Kijkt

wild om zich heen, ziet Willem. Ik weet echt niet of hij hem herkent of dat hij denkt dat ze gevaar lopen.

Hij rent de ladder op, neemt Willem in de heupzwaai en gooit hem zo naar beneden! Twee droge knakken en Willem ligt akelig stil beneden.

Ik duik ver weg. Als die broer mij ziet ga ik misschien dezelfde kant op.

Dan is er eerst paniek. Huilende moeder, luidpratende vader, ambulance-bellende soldaat. Daarna sirene met zwaailicht het erf op, Willem voorzichtig op brancard gelegd en met moeder de ziekenauto in. Met zwaailicht en sirene weg. De schuur loopt leeg.

Heb geen idee wat ik moet doen. Blijf voorlopig dus maar stilletjes zitten. Na een tijdje pak ik snel m'n fiets van achter de schuur en peer'm naar huis.

Thuis vind ik een boodschap van m'n moeder op de voicemail: 'Hoi, met mij. (Ja, dat hoor ik ook wel.) Ik moet onverwachts overwerken en je hebt kans dat het laat wordt. Wacht maar niet op mij (Was ik toch niet van plan.) want je moet morgen weer uitgerust naar school. (Dat weet ik nog niet precies.) Daaag grote kerel van me. (Gatver, krijg je dat ook weer.)'

Onmiddellijk volgt een tweede bericht.

'Ja, hoi, weer met mij. (Ja hoor!) Vergat ik te zeggen: die engerd heeft weer gebeld, weer niets gezegd. Als hij nog een keer belt, neem dan maar niet op. (Nou ja, wat een logica! Hoe kan ik nou weten dat hij het is als ik níet opneem?!) Slaap lekker straks.

('k Weet niet of dat zo nog lukt.)'

Het wordt inderdaad laat. Als m'n moeder midden in de nacht zachtjes om de hoek van m'n deur kijkt, doe ik alsof ik slaap. Ik lig net heerlijk te dromen van Jane en mij op een stuk zeil op een heel andere plek dan in een fruitschuur. Daar kan ik m'n moeder echt niet bij gebruiken.

Van school word ik niet vrolijk, om het maar zachtjes te zeggen. Willem heeft z'n broer overleefd, maar ligt wel mooi met een paar gebroken ribben en een dubbele beenbreuk in het ziekenhuis. Dus ook dubbel in het gips. Als je al niet stil was, zou je het ervan worden.

Wesley is steeds meer Paco. Tegenwoordig staat Priscilla - een van die gillende biggetjes - tegen hem aan alsof ze teveel naar Sandy heeft gekeken. Ze kauwt zelfs op dezelfde manier. Rowan en Silvano hebben dus een andere numero uno te bewaken. Vinden ze boeiend, zo te zien.

Met z'n drieën -'k bedoel Wes, Rowan en Silvano - lopen ze mij de hele dag te treiteren. 'k Ben altijd wel iets kwijt, dat dan opeens ergens anders in het lokaal ligt. Of ze lopen langs en boeren dan hard in m'n nek. Leuk!!!

Rowan ging pas achter me staan en maakte van die bewegingen alsof hij met Wesleys moeder op de bank bezig zat te zijn. Wes en hij allebei hard lachen.

Ik ben maar naar de leraar toegelopen om wat aan hem te vragen. Zei dat ik niet wist hoe'k verder moest.

Nou ja, je begrijpt, ik ga liever niet naar school dan wel. Dus blijf ik meestal maar thuis. Beetje uitslapen, beetje tv en dvd'tjes kijken, beetje veel dromen. Niet denken, en zeker niet aan school. 'k Ben blij dat die stille beller niks van zich laat horen. Dat geeft rust.

Gelukkig werkt m'n moeder heel de dag.

'Er moet toch iemand hier de centjes verdienen,' zegt ze, 'want het geld groeit niet aan de boom.' Of net zoiets en even stom.

Daardoor kan ik mooi de telefoontjes en brieven van school over "de absentie van uw zoon Janus" zelf afhandelen. De brieven verscheur ik en tegen Co de conciërge zeg ik dat ik naar de dokter moet, maar dat de afspraak steeds verschoven wordt. Zo lang hij het gelooft, zal het mij worst zijn.

'k Moet je heel eerlijk zeggen, ik weet dat dit niet lang kan duren. "Maar wie dan leeft, wie dan zorgt" - weer zo een van m'n moeder. Van de laatste tijd, want daarvoor zat ze zelf steeds in de zorgen. Dat is opeens over.

Ze is al een hele week niet met natte ogen naar de keuken gerend. Da's een record, echt waar. En ze moppert niet meer op haar werk. Gaat 's ochtends fluitend de deur uit en komt 's avonds zo ongeveer dansend binnen. En ze ruikt naar de drank. Vandaar ook die rode wangen en schitterogen.

Uiteindelijk heb ik haar toch m'n nieuwe jasje laten zien. Het moest er een keer van komen en ik dacht: nu kan het wel.

M'n moeder helemaal ontregeld. 'Ach, lieve schat, hoe komt dat zo.'

Nou ja, ik een heel verhaal hoe twee jongens op school ruzie hadden gehad, dat de een de ander met een mes te lijf wou en dat ik er tussen was gesprongen. Ze wil gelijk de volgende dag naar school, maar ik zeg dat dat geen zin heeft. Die jongens zijn al geschorst.

Dan kijkt ze me weer met zo'n zachte blik aan en zegt: 'Je bent mijn grote held. Je vader zou precies hetzelfde gedaan hebben.'

En zo is m'n vader even terug van weggeweest en wordt de keukenrol toch weer gebruikt.

Hoe dan ook, ik krijg een ander jasje en dat zonder teveel trammelant.

De volgende dag hoor ik veel vroeger dan anders m'n moeder uit haar werk binnen komen rennen. Alsof honden haar in de hielen willen bijten. Ze draaft de trap op. Ik kan nog net de tv uitzetten en een schoolboek opendoen. Ze gaat naar haar eigen kamer, probeert zo te horen van alles aan. Dan komt de geur van nagellak en parfum door elkaar heen dik onder m'n deur door. Wat is hier aan de hand?

Ze rommelt beneden nog wat in de keuken. Komt weer naar boven en staat in m'n deuropening. Ik kijk op van m'n boek. Zohee, is dat m'n moeder wel? Ik herken haar nog maar net door alle make-up heen.

'Jacco, ik ga vanavond uit eten met Henk van't werk. Voor jou heb ik een heerlijke koude salade klaargemaakt. Die staat op het aanrecht. 'k Weet niet hoe laat het wordt, maar vast niet later dan twaalf uur. Daag, ik ben weg.'

Ze doet de deur snel dicht, maar steekt dan haar hoofd weer even om de hoek en roept vrolijk: 'Kan je eindelijk eten en gelijk een fillempie kijken! Nou doei.' En dan is ze echt weg.

Twaalf uur wordt dus drie uur. Ik lig al lang en breed te slapen. Maar van de herrie die zij maken zou iedereen wakker worden, zelfs ik.

M'n moeder fluistert luidkeels: 'Zachtjes voor de buren, Henk.'

De buren? Daar heeft ze nog nooit aan gedacht. Ze stommelen de trap op.

M'n moeder giechelt als een van die gillende biggetjes: 'Nee, Henk, straks.' Bovenaan de trap, bij de badkamer, blijven ze staan. Smakgeluiden en dan m'n moeder die diep zucht, 'Aaah, Henk, hier heb ik al een tijd van gedroomd.'

'Ik ook,' hoor ik Henk terugzuchten.

'Even m'n neus poederen!' giechelt m'n moeder, loopt de badkamer in en doet de deur dicht.

Ik doe die van mijn kamer open. Henk wordt lijkbleek, staart me aan alsof ik gekkeHenkie ben.

Hij zegt tegen de badkamerdeur: 'Je vertelde me

vanavond toch dat je alleen was?'

'Nee,' zegt m'n moeder opgeruimd, 'ik zei dat ik er alleen voor stond. Maar Jacco is er ook nog.'

'O,' zegt Henk, kijkt me aan alsof hij me kan vermoorden, 'ik heb het niet op kinderen.'

En hij loopt zo naar beneden en stilletjes de deur uit!

'Van Jacco zal je echt geen last hebben,' zegt m'n moeder terwijl ze in haar badjas lachend de deur open doet. Ze staart mij met grote schrikogen aan.

'Waar is Henk?!' roept ze.

Ik kijk naar de grond en mompel: 'Weg.'

M'n moeder zegt een hele tijd niets, bijt op haar lip, haalt haar handen door het haar, loopt dan op haar blote voeten naar haar kamer en doet de deur heel langzaam dicht. Alsof ze moet bedenken hoe dat ook alweer gaat.

Ik doe die van mij ook dicht en ga er als een haas vandoor, naar de noorderzon.

Nou heb ik een probleem. M'n moeder blijft met steeds kleinere en dikkere huilogen thuis. Dus moet ik wel naar school. Doen alsof ik ziek ben, heeft geen zin. Dan komt ze onmiddellijk met de thermometer op me af. Stopt'm in m'n oor en als ik geen koorts heb, kan ik mooi toch naar school. Zoals ik zeg, dat heeft geen zin.

Ik ga na het tweede uur naar school. Zeg tegen m'n moeder dat ik de eerste twee uur vrij heb. 't Blokuur verzorging gaat niet door, omdat Rob voor z'n zieke zoon zorgt. Vindt ze wel een mooie gedachte. 'k Ben al zo gewend dat mijn vader er niet is, dat ik niet eens denk: Rob z'n zoon wel en ik niet. En dan is't natuurlijk ook nog eens zo dat ik niet ziek ben. Zelfs geen greintje koorts.

Ik kom in de eerste pauze aan bij school. Wacht tot het drukker dan druk is bij het naar binnen gaan. Loop dan zo met de stroom mee dat Co mij echt niet kan zien. Zo, dat gaat goed.

In de les is dat niet zo. Ik ga zo ver mogelijk van

Wesley en z'n bodyguards zitten, maar hij weet me gelijk te vinden.

'Hey, Januskop! Fijn je te zien man.' En dan barst hij in lachen uit en het geweld los.

Af en toe loop ik maar even uit de les naar de mediatheek om wat lucht te krijgen.

Ik verlang bijna terug naar het gym, zelfs met Kloris-Jan achter me. Die gaan tenminste nog eens op reis, zie ik op de lichtkrant in de hal. Daar is een herinnering aan de excursie van morgen naar "het Rijksmuseum van Oudheden in Leiden voor klas 1 gymnasium". Voor wie het gemist heeft: infobrief bij receptie.

En dan flitst er een idee door me heen. Misschien is dit wel de kans om morgen niet naar school te hoeven gaan. Ik loop naar de receptie als Co door drie wanhopige leerlingen naar een fotokopieerapparaat is getrokken. Die hadden gisteren hun werkstuk al moeten inleveren en nou doet de kopieerder het niet! Zijn ze straks veel te laat, door de schuld van de school! Zij kunnen er dan niks aan doen.

De mevrouw aan de receptie is zo druk aan't bellen met een lastige ouder, dat ze zonder te kijken zo'n infobrief naar me toeschuift als ik er om vraag. Ik lees hem door en zie dat ik er vast wel wat mee kan.

's Avonds gelooft m'n moeder de excursie en dat ik helemaal vergeten ben het eerder te zeggen. Ze moet daarna toch even naar de keuken, want "je vader vond het altijd zo'n prachtig museum. Hij was er niet weg te slaan."

'k Denk eigenlijk dat hij dan ergens anders niet van was weg te slaan.

Als ze in de kamer terugkomt, legt ze alvast geld op tafel klaar "om er een leuke dag van te maken". Zohee, zomaar.

's Ochtends is m'n moeder toch weer naar haar werk. Ze heeft vast geen koorts.

Ik rij blij naar de stad. Hoef vandaag dus echt niet naar school. Dat heb'k mooi geregeld. Naar het busstation, want daar vertrekken we naar Leiden heb ik gisteren gezegd.

Op het stationsplein aangekomen heb ik zo'n honger dat ik eerst maar een lekkere snelle hap insla. Geld genoeg.

Terwijl ik dat sta weg te kauwen, hoor ik een opgewonden gegil waar de zeven biggetjes nog van kunnen leren. Staan er tussen al die haastige mensen drie meiden lekker relaxed met hun mobieltje foto's van zichzelf te nemen. Moeten die niet naar school? Het zijn wel mooie meiden. Vooral die ene. En die kijkt nou juist rond of er iemand is die een fotootje van hun drieën wil maken. Ze ziet mij staan en roept: 'Hey, lekker ding, wil jij effe een foto van ons maken?'

Ik slik net m'n laatste hap weg. Weet niet zo gauw wat ik met m'n bakje moet doen. Laat het dus maar vallen alsof ik dat altijd doe met lege bakjes. Stap op ze af, veeg m'n handen aan m'n broek af, pak het mobieltje en maak snel het plaatje. Geef het mobieltje terug dat gretig wordt aangenomen. Mensen kijken kwaad om het overdetop gegil dat losbarst als de meiden zien hoe ze erop staan.

Zegt een van de drie tegen de mooiste: ''k Wil niet veel zegge, Marjolein, maar jij wou toch nog een fotootje maken voor je ex?'

'O ja, da's waar ook.' Marjolein straalt naar me. 'Hoe heet je?'

'Ik heet Djeenus.'

Je mag zeggen wat je wilt van Wesleys moeder, maar die naam heeft wel wat.

'Gave naam,' zegt Marjolein lief. 'Kijk, 't zit zo, Djeenus, m'n ex heb me zaterdag zwaar belazerd met Charity. Iedereen weet, dat is de slet van de school. Maar daar komt-ie nog wel achter. Wat za'k zegge, nou wil ik hem een lief appie sturen met een foto, zogenaamd van m'n nieuwe vriend. Dat-ie weet, hem heb ik echniet nodig. En jou zie ik wel zitten.'

Voordat ik wat terug kan zeggen, heeft Marjolein haar mobieltje aan de langste van de andere twee gegeven. Ze legt haar armen om mijn middel, gaat tegen me aanstaan als Priscilla tegen Wesley, of Sandy tegen Paco. Kijkt me verlangend aan zoals het vriendinnetje haar Soldaat van Oranje in die fruitschuur. En intussen maakt haar vriendin de foto.

Twee kortere meiden stormen hartstikke nieuwsgierig af op de lange. Aan het gekrijs hoor ik dat ik het helemaal gemaakt heb als "nieuwe vriend".

Marjolein laat me trots de foto zien en zegt: 'Zohee, wat zal die daarvan baaaaalen! Die is straks strontjaloers.'

Ze kijkt me nog liever aan dan bij het maken van de foto. 'Jou ken ik wel hebben, Djeenus. Zullen we vanavond whatsappen of skypen?'

Bij haar kan ik geloof ik alleen maar ja knikken, dus dat doe ik. We zetten elkaars telefoonnummer en skypenaam in ons mobieltje. Ze zegt: 'Gaaf Djeenus. Laten we maar skypen.' Dan rennen ze alledrie weg naar school om niet nog een uur te missen.

Marjolein draait zich nog om en roept: 'Op school noemen ze me "Wilde Marjolein". Ik ben voor hoest en hoofdpijn.'

Breed lachend en zwaaiend rent ze achter de twee anderen aan de hoek om.

"Voor hoest en hoofdpijn"? Ik begrijp er echt niks van. Maar een lekker ding is het wel, die Marjolein.

M'n moeder komt zo vrolijk uit haar werk, dat ik denk 'het zal toch niet weer aan zijn met Henk van't werk?' Gelukkig niet. Haar grote kindervriend heeft ontslag genomen.

'En hij heeft nog zoveel vakantiedagen,' vertelt m'n moeder opgelucht, 'dat hij niet meer naar z'n werk terug hoeft.'

Ze is er zo vol van, dat ze niet eens vraagt hoe het

uitstapje naar Leiden was. Da's boffen, want ik bedenk opeens dat ik gisteren vergeten ben op de website te kijken hoe dat museum eruit ziet. Voor't geval dat ze wel zou vragen: 'en hoe vond je het in het museum?' Zelfs m'n vader blijft even buiten beeld.

Direct na het eten verdwijn ik naar boven. 'Nog even wat werk doen voor school,' mompel ik en ben zo snel boven dat ze geen kans heeft om nog wat te vragen.

Op naar Wilde Marjolein. Ik voer Marjoleins skypenaam in en kijk meteen of ze al online is. Ja, dat is ze.

We zitten een hele tijd te praten. Ze is vijftien, doet basisberoeps, zit in de tweede klas en doet "groen".

Ik vraag: 'groen?'

'Landbouw,' zegt ze, 'maar ik wil later m'n eigen bloemenwinkel. Bij groen noemen ze me "Wilde Marjolein", want dat is een plant. Als je die droogt kan je hem innemen. Het helpt voor hoest en hoofdpijn. Echwaar.'

Ik zeg het niet, maar ik had toch echt heel iets anders gedacht bij dat "wilde", zeker na dat verhaal over d'r ex.

Ze vraagt hoe oud ik ben.

'Veertien.'

Een jaartje er bovenop kan geen kwaad.

'O, ik dacht dat je ook al vijftien was.'

'Bijna,' lieg ik er nog een beetje bij. En zo praten we een tijdje leuk heen en weer.

'Heb je een webcam?' vraagt ze aan het eind.

Stom! Geen moment aan gedacht!

'Kan zijn dat je hem niet mag gebruiken van je ouders. Ik mag het eigenlijk ook niet, maar daar heb ik schijt aan.'

'Tuurlijk mag dat,' geef ik als antwoord. 'M'n moeder heeft er niks mee te maken wat ik doe.'

'Misschien dat ze het fout vindt als je met de webcam aan skypet, met een oudere vrouw, hahaha.'

'M'n moeder vindt een oudere vrouw juist goed voor me, zelfs zo ontzettend oud als jij,' zeg ik lachend terug.

Voordat ze offline gaat, vraagt ze met een verleidelijke klank in haar stem: 'Morgen weer? En met de webcam aan? Dan heeft die oude vrouw je wat te laten zien.'

Ik knik en ga met een goed gevoel offline. Ben benieuwd wat ze morgen laat zien. Vast van die gedroogde wilde marjolein uit een plantenboek. Tegen hoest (krijg ik alleen van kauwgom) en hoofdpijn (van zo ongeveer alles). Hahaha.

Na een lange nacht - met een machtig mooie droom: Marjolein en ik lopen hand in hand, samen de ondergaande noorderzon tegemoet - maak ik er een korte schooldag van.

Als ik naar binnen loop, grijpt Co me in m'n kraag. Die blijft gelukkig heel. Hij laat pas los als ik beloofd heb dat ik morgen een briefje van m'n moeder meeneem over mijn "absenties".

'Ik zweer het, Co, morgen krijg je het echt. Ik ben het vandaag gewoon even een beetje vergeten. Maar het ligt thuis al klaar.'

In de les is Wes op z'n best. Ik hou me zo gedeisd mogelijk, want zodra ik wat doe, al is het maar dat ik opkijk, dan krijg ik gelijk weer een opmerking.

Langzamerhand heb ik zo de pest aan dat joch. Stilletjes kruip ik in m'n favoriete droom van school. Daar zie ik voor me hoe ik Wesleys gruiskop in een bankschroef zet en dan blijf draaien tot z'n gezicht echt als los grint op de grond ligt.

Misschien moet ik toch maar eens een mes meenemen, denk ik. Dan kan ik ze zelfs met z'n drieën vast nog aan. Moet ik het wel doen voordat ze op school van die poortjes hebben neergezet.

Moe gepest vertrek ik vroeg in de middag naar huis. Zie vanavond wel hoe ik dat briefje moet loskrijgen van m'n moeder.

Thuis probeer ik meteen of Marjolein online is. Ze is er. Maar ik heb het gevoel dat het beeld niet klopt. Ik herken haar bijna niet.

Marjolein zit nog dikker onder de make-up dan m'n moeder toen die met Henk uitging. Ze heeft een raar staartje in d'r haar gedaan. En als ze lacht is het net of iemand haar gezicht opensnijdt. Witte tanden komen opeens bloot tussen lippen die nog roder zijn dan al dat namaakbloed in horrorfilms.

Ik krijg een loodzwaar gevoel waar ik vannacht nog vlinders voelde. Zie haar languit op haar bed liggen, met een blote schouder uit haar truitje en niks eronder aan. En ik moet denken aan een voorfilmpje uit m'n vaders voorraad.

Dit wil ik helemaal niet.

'Vind je me mooi?' vraagt ze en kijkt me met wat zij denkt dat een verleidelijke blik is aan.

'Hartstikke gaaf,' probeer ik moedig en aardig te zijn.

'M'n ouders zijn er niet, dus we kenne lekker ons gang gaan.'

Ze kijkt me aan als Wesleys moeder toen die zei dat ze me zou komen verwennen. Alleen zijn er duidelijk geen hangperen maar kleine ronde appeltjes. Dat zie ik nog net voordat ik van haar wegkijk.

Als ik weer kijk zie ik dat Marjolein voorover leunt. Ze zegt: 'Weet je wat een leuk spelletje is? Jij trekt wat uit en dan doe ik dat ook. En als we dan lekker in ons nakie liggen, dan vingeren we ons bij ons eige. En dan kijken we elkaar diep aan en dan is't net of we elkaar vingeren. Zalig, Djeenus.'

Ze gaat er gelijk voor liggen.

Nou moet ik wel. Ik zeg: 'Maar we kunnen toch ook gewoon wat met elkaar praten en een beetje naar elkaar kijken. En dan zeggen wat we denken. Da's toch ook fijn?'

Dat is zelfs fijn op een stuk zeil in een fruitschuur, denk ik.

Dat maakt Marjolein echt woest. Ze gaat rechtop zitten.

'Wat ben je voor een creep. Wil je niet? Ben je soms HOMO?!'

Ik weet het allemaal niet meer. Weet niet wat er met me gebeurt. Dat zeg ik: 'Ik weet het niet. Nee, dat ben ik niet. Maar wat ik wel ben, daar kan ik alleen maar van dromen.'

'Dromen zijn voor watjes. Wat ben jij een watje, Djeenus!'

'Echt niet.' Nou mag ze het weten ook. 'Met dromen kom je verder. Verder dan de horizon, wel tot aan de noorderzon.'

En dan ga ik weg bij Wilde Marjolein. Ik doe de webcam alvast uit.

Terwijl ik haar blokkeer zeg ik eigenlijk alleen nog tegen mezelf: 'Dromen? Zonder dromen heb je niks. Echt helemaal niks.'

Met al die ellende ben ik 's avonds gewoon blij dat ik m'n moeder zie. We hebben elkaar niet veel te vertellen. Zij niet omdat haar werk weer hetzelfde is als voor de opwinding met Henk. Ik niet vanwege Marjolein.

Onder de bezorgde blik van m'n moeder ga ik vroeg naar bed. 'k Doe zelfs geen moeite om dat briefje voor Co los te krijgen. Heb eigenlijk al besloten dat ik morgen niet naar school ga.

Tot mijn verbazing droom ik die nacht heerlijk.

Niet van Marjolein, maar van Sandy. Als ik de school uit loop, zie ik Sandy triest en moederziel alleen bij het fietsenhok staan. Ik loop naar haar toe. Ze ziet me, kijkt hartstikke lief naar me en rent op me af. Ik zie dat ze onderweg nog snel haar kauwgom weg-stopt. We vallen in elkaars armen alsof we elkaar redden. Met mijn arm om haar schouders en haar arm om mijn middel lopen we het schoolplein af. Onze fietsen laten we gewoon staan. Ik kijk even achterom en zie achter alle ramen leerlingen staan kijken. Mooi zo! Dat zal ze leren.

Onderweg vertelt Sandy dat ze me meteen al zag zitten, maar dat ze niet durfde door Paco. Dat ze daardoor allerlei gekke dingen deed die ze niet wou en dat ze door mij zag hoe bizar dat was. En ik vertel haar dat ik al veel vaker gedroomd heb dat ik haar in m'n armen hield en dat het nu echt is.

We lopen niet naar huis. We weten allebei waar we naartoe gaan: de fruitschuur bij Stille Willem. En weet je, we hoeven er niet eens te komen. Zo is het al helemaal goed.

9

's Ochtends blijf ik nog liggen nagenieten van wat ik allemaal heb meegemaakt met Sandy. Het wordt dus geen school, geen Rowan en Wesley.

Terwijl ik me opgelucht nog een keer omdraai, hoor ik aan de brievenbus dat er post is. 't Zal toch geen brief van school zijn? Die moet ik dan snel onschadelijk maken.

Ik loop naar beneden en zie daar inderdaad een envelop op de deurmat liggen. Is het ook nog eens een brief voor mij en niet voor m'n moeder. Wie stuurt mij nou een brief, en waarvandaan? Op de postzegel staat "Norge", maar van aardrijkskunde ken ik alleen Norg, en dat is geen land. 't Is ook best een dikke brief.

Snel maak ik de envelop open en haal de brief eruit om te kijken van wie die is. Val bijna om van verbazing: een brief van m'n vader! Hoe haalt die het in z'n hoofd om aan mij te schrijven? Ik kan niet wachten om dat te weten te komen, ga op de trap zitten en begin meteen te lezen.

Hoe moet ik deze brief beginnen? Met "Beste Janus" of met "Mijn zoon"? Op de een of andere manier past dat niet.

Hoe kan ik mijn brief beginnen terwijl ik meer dan vijf jaar niets van me heb laten horen?

Laat ik maar gewoon beginnen te vertellen. Daar was ik altijd goed in. Al ben ik dat de laatste tijd een beetje verleerd omdat ik hier in m'n eentje op een eiland zit. Waar? Vlak voor de Noorse kust.

Waarom ben ik bij jullie weggegaan? Dat is een lang verhaal en niet eens boeiend zoals die godenverhalen die je van mij gewend was.

Weet je nog hoe blij je was als ik thuis kwam en je op mijn schoot klom om verhalen te horen? Alhoewel, of je ze zo boeiend vond weet ik niet, want je viel bijna altijd op m'n schoot in slaap. Prachtig hoe je zo stil tegen m'n borst aan zat! Ik bromde dan nog zachtjes een slaapliedje voor je en gaf je vervolgens heel voorzichtig, alsof je m'n eerste kievitsei was, aan je moeder, die je dan even voorzichtig in je bedje legde. Meestal werd je niet eens wakker.

Dus het ligt niet aan jou dat ik wegging, laat dat duidelijk zijn. En hoe gek dat ook klinkt, het lag ook niet aan je moeder. Of misschien een beetje, maar anders dan jij en zij vermoeden, denk ik.

Eigenlijk ben ik weggegaan om mezelf.

Eerlijk gezegd had ik het helemaal niet naar m'n zin op m'n werk. Die goden vond ik geweldig, maar de mensen, zowel m'n collega's als de studenten, ik had er niets mee. Ik ergerde me verschrikkelijk aan hun kouwe drukte en opgeklopte gedoe, kon daar niet aan meedoen, had het gevoel dat ik er buiten stond. Daardoor ergerde ik me steeds meer aan mezelf, want ik kon dat niet, wilde het eigenlijk ook niet, en zij kennelijk wel. En die ergernis nam ik mee naar huis en reageerde ik af op jullie. Zo kreeg ik nog meer de pest aan mezelf. Wat voelde ik me opgesloten en machteloos!

Tussen je moeder en mij ging het daardoor ook niet goed, dat kan je je wel voorstellen. De glans was eraf. Ook seksueel. We hebben nog een paar keer geprobeerd om ons met van die "opwindende" dvd'tjes op te peppen, maar wat een tinneftroep was dat! Resultaat: geen opwinding, maar een nog grotere afknapper. Dus heel snel heb ik die hele voorraad dvd'tjes ver weggestopt. We hebben ze nooit meer aangeraakt. Door dat gedoe kwam de vlam tussen je moeder en mij niet echt terug, dat begrijp je.

Het werd steeds erger met me. Ik begon te schreeuwen, zelfs tegen jou. Dat kon ik uiteindelijk niet meer aan. Toen ben ik stilletjes vertrokken. Totaal ongeschikt om met andere mensen om te gaan, had ik vastgesteld, zelfs de mensen van wie ik hield.

Heb ik er spijt van? Ja en nee. Nee, anders was ik nooit op dit eiland terecht gekomen. En dat heeft me goed gedaan, heeft me veranderd kan ik wel zeggen. Maar dat ik toen vertrok zonder iets tegen jou te zeggen, dat spijt me verschrikkelijk.

Had je verwacht dat ik naar het noorden was gegaan? Of had je gedacht dat ik richting Griekse goden zou gaan?

Hier dus geen Zeus, maar Odin, geen Olympus maar Asgaard, en verder een heleboel elfen, dwergen en reuzen. Maar die konden met z'n allen minstens zo hard oorlog voeren als die klassieke goden. (Begin je alweer slaap te krijgen van me?)

Mijn eiland - nou ja, niet míjn eiland, maar waar ik alleen woon - ligt vlakbij de kust. Echt wat ik toen zocht. Eén keer per twee weken m'n boodschappenlijst mailen naar de kust en de volgende dag er naartoe roeien - of 's winters oversteken met de sneeuwmobiel, met aanhanger - om de boodschappen en de schaarse post op te halen. Verder geen mensen om me heen. Telefoon en internet heb ik dus. Mocht je kontakt willen - wat ik echt hoop - dan kan je me via het onderstaande telefoonnummer of e-mailadres bereiken.

Ik heb de afgelopen weken een paar keer naar jullie gebeld, maar op het moment dat ik jullie stem hoorde kon ik geen woord uit m'n keel krijgen. Vandaar dat ik deze brief schrijf.

Waarom ik nu naar je schrijf? Ik mis je, steeds meer.

Begrijp me goed, ik probeer zo niet de afgelopen jaren goed te maken. Dat is onmogelijk. Maar ik heb er behoefte aan verantwoording af te leggen aan mijn zoon. En wie weet wat er dan nog allemaal kan.

Ik kijk er naar uit om van je te horen.

Je vader.

Stomverbaasd kijk ik naar de brief. Lees sommige stukken nog een keer om zeker te weten wat er staat.

Zohee, dus m'n vader is neverniet om mij weggegaan! En die sexfilms! Geen oversexte vader dus, meer een ondersexte. En daar moest m'n moeder dus ook naar kijken. Gelukkig hielden ze het allebei gauw voor gezien.

Weet je, eigenlijk heeft m'n moeder gelijk, m'n vader en ik hebben wel wat van elkaar. 'k Bedoel, wat we van anderen en onszelf vinden. Als hij nou bij ons was gebleven en we hadden het van elkaar geweten, was het zekerweten hier meteen al minder erg geweest.

Ben benieuwd wat hij verder te zeggen heeft, ook aan m'n moeder.

'k Ga hem vast en zeker bellen. Maar als ik hem bel kan hij er beter goed voor gaan zitten. Ik heb hem heel wat te vertellen ...